D0332193

l'administrateur provisoire

Du même auteur au Rouergue

La maladroite – la brune, Rouergue, 2015 (prix du livre Envoyé par La Poste).

Chez d'autres éditeurs

La perte des limites. Hallucinations et délires dans le roman européen (années 1920-1940), Honoré Champion, 2016.

Graphisme de couverture : Olivier Douzou

www.lerouergue.com

Alexandre Seurat

br

l’administrateur provisoire

la brune au rouergue

Un homme parlera de son désir d'échapper aux vivants. Mais ce sont les morts qui sont dangereux. C'est aux morts qu'il ne peut échapper, aux morts qui gisent tranquilles quelque part et n'essaient pas de le retenir.

(Faulkner)

Article 7 – L'administrateur provisoire doit gérer en bon père de famille.

C'est la nuit : un petit appartement, au premier étage d'un immeuble haussmannien. Dans la pièce qui donne sur la rue, se distinguent des masses sombres, un bureau. Parfois, dans un grondement lointain, un halo blanc passe à travers la fenêtre, et projette la silhouette mouvante des croisillons contre les murs, les meubles, l'ombre circule très vite, puis s'efface, furtive. Sur le bureau sont apparus une grosse loupe, des poinçons, des ciseaux. Un atelier. Il y a des étagères, pleines d'objets en vrac, une armoire, des cartons entassés dans un coin. D'une autre pièce, dans le noir, montent de longues respirations, sourdes, régulières : un grand lit au centre, et deux lits plus petits contre le mur du fond, les silhouettes des corps plongés dans le sommeil.

Tout à coup, la porte d'entrée s'ouvre, se referme. Dans la chambre, personne ne s'est réveillé. Les pas se dirigent vers l'atelier. La silhouette d'un homme apparaît dans un coin : il examine les objets, les meubles. Il est maigre, très droit. Il sort un petit carnet, où il note quelque chose, minutieusement. Il examine le contenu des meubles, il ouvre les tiroirs du bureau, l'armoire, il fouille dans les papiers. Il se relève. Il note quelque chose dans son petit carnet. Il ne prend rien. Il s'approche du coin où sont entassés les cartons. Il sort encore son petit carnet. Il est très méthodique, apparemment il sait exactement où il va.

Il s'approche de la porte de la chambre, il la pousse légèrement : elle s'ouvre sans un bruit. L'homme regarde longuement à l'intérieur. On dirait qu'il écoute les souffles. Il ne bouge pas. Il sort son petit carnet, il y note quelque chose.

Je me réveille en sueur.

Il fait nuit. Je suis chez mes parents. J'entends des bruits en bas. Je descends les premières marches de l'escalier sur la pointe des pieds. De la lumière monte du couloir qui mène au bureau du fond, celui de ma mère : une pièce où s'entassent des affaires, nos vêtements d'été dans les tiroirs de la commode, des piles de papiers par terre et sur le bureau, sur les rebords du meuble du fond, partout.

Je me glisse dans l'ombre du couloir : j'aperçois la silhouette de ma mère, dans le bureau. Elle remue de grandes masses de papiers. Elle me paraît toute petite, au milieu des tas qui l'entourent. Qu'est-ce qu'elle cherche ?

Je me replie en silence. Je remonte furtivement à l'étage. Je me recouche, mais je n'arrive pas à dormir. Il se passe quelque chose, mais je ne sais pas quoi, je sais que je ne me rendormirai plus. Je reste allongé dans le noir. Je regarde le plafond, la mince lézarde qui s'y dessine.

Un secret

Ils sont sur le canapé, en face de moi. Je les regarde fixement, j'attends sans savoir ce que j'attends. Que mon oncle, Pierre, a quelque chose à me dire, je l'ai senti d'emblée, quand ils sont entrés. Il est assis très droit, les mains croisées sur ses genoux, les yeux grands ouverts tournés vers moi. Je me demande quels traits il a en commun avec ma mère. Peut-être ce regard, une forme de sérieux qui me déstabilise, une espèce de raideur indéfinissable dans la nuque. Assise près de lui, Élisabeth, longue, fine, remue son collier de la main, tourne son bracelet. Par moments, elle a des gestes brusques, comme impatients, elle regarde ailleurs, puis se tourne vers moi à nouveau, me sourit, les yeux vifs. Ses mains à lui se décroisent, se recroisent. Il se penche vers son verre de porto, dont il prend une gorgée, le repose soigneusement.

Le lendemain de l'enterrement de mon frère, c'était elle qui m'avait écrit. Dans l'église, c'est à peine si je l'aperçois à travers la masse floue et indistincte des corps qui gravitent dans l'orbite familiale, ils sont là tout autour de moi, comme des ombres, avec leurs mines défaites. Je ne veux pas les voir, je voudrais les tenir à distance. Je me retrouve devant ma mère, qui me regarde de loin, absente, son corps me semble très petit, très loin. Je m'assois à l'écart, je voudrais me fondre à la masse des corps anonymes. Je regarde le cercueil.

(J'entends mon frère qui pleure dans la chambre d'à côté. Mon frère essaie de dormir, mais étouffe dans la chambre à côté : chaque respiration n'est plus qu'un étouffement rauque. Puis des pas montent l'escalier, je reconnais ceux de ma mère. Bruit d'une poignée qu'on pousse, la lumière s'allume sous la porte qui sépare ma chambre de celle de mon frère. Les pas avancent dans sa chambre. Une voix parle à mon frère très bas, très doucement, je n'entends pas les mots qu'elle dit. Ma mère installe des fumigations : dans une casserole posée sur un réchaud dans un coin de sa chambre, elle a cassé deux ampoules. La vapeur monte, l'humidité se répand dans la pièce. À force de crises, les affiches sur les murs de sa chambre se gondolent.)

Ce jour-là, l'église est pleine, une foule se presse sur les bancs, des cousins éloignés de mes parents, que je n'ai vus que rarement, visages entrevus de leurs amis, et qui me semblent hostiles. À présent, mon frère n'est plus que ce cercueil – gigantesque forme sombre qui occupe toute l'allée centrale. Élisabeth m'écrit, le lendemain : ce qu'elle veut se rappeler de la célébration, ce sont les mots que j'ai dits. (Qu'il n'était pas malade. De toutes mes forces, pour que tout le monde entende.) Je la connais à peine, ni Pierre. Nous les avons toujours peu vus, ni lui, ni les deux autres frères de ma mère, Jean, Philippe. Mais elle est là, à présent, se détachant de tous les autres.

Ils sont venus à Paris pour cette réunion de famille qui, comme chaque année, a lieu chez des cousins. Monter à Paris à l'occasion de cette réunion, c'est un moyen de voir la famille sans passer trop de temps, ils restent l'après-midi, juste ce qu'il faut. Élisabeth sourit, se rappelle que, dans le temps, c'était toujours chez ma grand-mère, les réunions de famille à cette époque de l'année. *Ces réunions mortelles,* dit mon oncle, eux restaient le moins de temps possible, il hoche la tête. Vivre dans cette ambiance, c'était *l'asphyxie assurée.* Il tourne son verre lentement, il boit. Je voudrais aller droit à ce qu'il a à me dire. Mais je sens de sa part comme une gêne, ou une appréhension : il prend son temps, il parle lentement. Peu à peu, la tension monte sans que je puisse la définir ni la localiser.

Pierre dit seulement, *J'étais très proche de ta mère, enfant, adolescent.* Il a prononcé la phrase sans me regarder, puis a levé les yeux vers moi et à présent il me fixe, d'un air sérieux, presque grave – il répète, *très proche.* Il ajoute que ma mère était *très vive, très critique.* Il se rappelle des scènes à table où tous les trois, avec son frère Jean et ma mère, ils provoquaient leur père sur des sujets à propos desquels il avait ses idées, l'Église, la contraception, l'avortement, ou même des points de dogme auxquels il attachait tellement d'importance, *L'Immaculée Conception,* Pierre sourit. Ils le poussaient dans ses retranchements, et leur père répondait toujours, il ne pouvait s'en empêcher, il fallait qu'il se défende. Il n'avait aucun humour, on racontait dans la famille que ça venait de l'oflag, dont il était rentré complètement bigot.

J'essaie de deviner où il me mène. De mon grand-père ne me restent que des traces à demi effacées. Un homme maigre et glabre, et qui ne rit pas, de grandes dents, quelques cheveux rabattus sur le crâne, des gestes lents, désaccordés. Les années de sa maladie, il s'absente, ses yeux vous fixent mais sans vous voir, avant qu'il dise quelque chose – toujours à côté. Je me rappelle surtout l'angoisse de ma mère, quand elle nous emmène le voir dans la clinique qu'elle lui a trouvée, près de chez nous, elle marche sans rien dire. Longtemps après, j'évite de prendre cette rue. Suivre les silhouettes des infirmières en blanc, croiser des corps hagards qui vous interpellent. Lui ne me voyait pas, la bouche ouverte, béante, le regard dans le vague, pas de regard.

Pierre jette un œil dehors, on dirait qu'il hésite. Il dit lentement, *Mais par certains côtés, c'était un homme original, moderne*. Dans son usine, mon grand-père crée le premier syndicat de cadres. Et on ne peut pas dire qu'il n'avait pas de talents – la crèche de papier mâché chez ma grand-mère, c'est lui. *Il était créatif, d'un certain point de vue*. Élisabeth fait la moue, voudrait parler, se retient, regarde ailleurs, elle sait ce qui vient sans doute, elle l'attend. Je cherche des indices dans son regard, mais je ne vois rien que l'impatience, qui renforce la mienne. Un bleu sombre colle aux vitres, la nuit grandit à l'extérieur, là-bas.

Elle dit, *Original, moderne, si on veut. Des talents, peut-être, d'un certain point de vue,* sa voix est ironique. Quand elle a fait la connaissance de Pierre, elle a quand même été *stupéfiée* (elle détache les syllabes) de rencontrer quelqu'un avec une telle révolte. Elle laisse passer un court silence, elle hésite peut-être, elle finit par lâcher que les premières fois où Pierre parle d'elle à ses parents, ils la traitent quand même (elle suspend sa phrase une fraction de seconde, et me regarde) de *poule*. *Alors ça y est, tu as une poule ? Tu veux nous ramener ta poule ?* Elle rit, d'un rire nerveux.

Alors Pierre reprend la parole, lentement : il ne dit pas le contraire. D'un fond de gorge, il ajoute que, quand ils étaient adolescents, il y avait autre chose dont ils parlaient à table pour provoquer leur père – son retour d'oflag en décembre 1941. *Car être rappelé pour travailler comme ingénieur dans une usine de pneus – qui produisait pour les Allemands*, précise-t-il, avant de s'arrêter, il ajoute plus bas, *bon*, s'arrête à nouveau, son regard suspendu à tout ce qu'il n'a pas encore dit, l'atmosphère est plus dense d'un coup.

De ce retour en France de mon grand-père en décembre 1941, j'avais déjà entendu parler, mais je n'avais pas posé de questions – aucune n'avait été formulée. Un événement parmi tous ceux qui composaient l'ordre du passé qu'on n'interrogeait pas chez nous, qu'on ne contestait pas, mon grand-père était rentré en décembre 1941 pour fabriquer des pneus pour les Allemands.

Mais au moment de leur adolescence, ma mère et ses deux frères posaient les questions à table, interrogeaient leur père. *Ça n'était pas possible de dire non ?, de dire,* Je ne rentre pas, *est-ce qu'il n'aurait pas mieux valu rester là-bas, à l'oflag ?* Leur père ne bouge pas, ne répond pas, très droit devant son assiette, il se tait, il encaisse les questions comme des coups. À table, il n'y a plus leur père, il n'y a plus qu'un corps, très raide sur sa chaise.

Pierre avale ce qui reste de porto dans son verre. Il ajoute qu'à force de provocations, une fois qu'ils le poussaient encore, il avait fini par répondre qu'*à cette époque, quand même, les Juifs avaient beaucoup de pouvoir*. Pierre a dit ça dans un souffle, *Les Juifs avaient beaucoup de pouvoir*. Un sifflement dans l'oreille. *À table, il y avait eu un frémissement*, ajoute-t-il. Mon grand-père a les yeux exorbités, comme étonné lui-même de l'obscénité qu'il vient de lâcher, testant dans le présent l'évidence du passé, avec peut-être la conscience, mais incertaine, que ça n'est plus vraiment permis – il essaie à tout hasard. Les trois adolescents tournent la tête, laissent échapper un sifflement. *Il n'a plus jamais répété ça.*

Élisabeth s'est arrêtée de bouger, elle regarde, elle attend, l'atmosphère est devenue électrique, mais Pierre ne dit plus rien. Elle a des gestes d'impatience, elle remue son collier, puis, après un silence, elle dit seulement, assez bas, d'un ton absent, distrait, *Et puis on ne quittait pas l'oflag si on n'avait pas des appuis.* Pierre n'ajoute rien, mais il ne semble pas surpris par ce qu'elle vient de dire, il me regarde. Et moi, je sens se nouer en moi une corde inconnue : des appuis ? Quels appuis ? C'est tout un monde glauque, opaque, qui vient de s'ouvrir sous moi – et la nausée. Je dis seulement, *Quelqu'un était intervenu ? – On ne l'a jamais su, mais c'est presque sûr,* puis il ajoute, après un moment, *En fait c'est sûr*, et il se tait. Il ne répond plus qu'au compte-gouttes.

Mais qui ? Il se tait un moment encore, puis finit par lâcher, *Son propre père*. Raoul, mon arrière-grand-père. Aucune image, page blanche, on ne m'en a jamais parlé. Qui c'était ? *Un sale type,* dit Pierre aussitôt, comme s'il voulait repousser tout ce qu'il en sait dans un endroit avec lequel il ne veut rien avoir à faire, il n'a rien à faire avec tout ça. Ils l'avaient peu connu, il était mort au début des années 60, quand ils étaient adolescents – mais le peu qu'ils l'avaient connu suffisait bien.

Chez Raoul H. (et il dit *Raoul H.* comme s'il parlait d'un étranger qui n'aurait pas porté le même nom que lui), les enfants n'avaient pas le droit de parler. Il se souvient de la tension qu'on étouffait, au cours de ces après-midi sinistres. L'été, Raoul et Henriette recevaient au château de Beauvoir, une propriété immense, un parc de dix-sept hectares, où on n'avait pas le droit de jouer, pas le droit de courir, dont on ne pouvait pas sortir, où on n'avait le droit de rien, on y était emprisonnés. À l'heure des repas, il y avait deux sonneries de clochette – à la première on devait se laver les mains, à la seconde il fallait être à table, *sinon*, et Pierre fait un geste menaçant de la main, *une remarque cinglante cueillait les adultes, et les enfants étaient privés de repas*. Puis il résume, *Un sale type*, il essaie de sourire, comme s'il voulait se débarrasser de tout ça, de tout ce qu'il a dit, et aussi de tout ce qu'il n'a pas dit.

Mais comment mon arrière-grand-père serait intervenu ? Il avait du pouvoir ? Des amis haut placés ? Pierre ne répond pas d'abord, puis il dit, *Oui*, me regarde longuement, *Les deux*, avant de se taire. Il hésite, on dirait qu'il cherche la manière de dire ce qu'il veut dire, il ferme les yeux un instant. Quand il se remet à parler, sa voix est douce, très basse et lente : c'est seulement il y a une dizaine d'années qu'il a su par son frère Jean ce qu'il avait toujours ignoré jusque-là, et qui éclairait *tout ça*. Et c'est ce qu'il me doit depuis que mon frère est mort, dit-il, c'est ce qu'il y a à savoir, pour comprendre *des choses*, certaines *particularités* de la famille. Il articule les mots distinctement, lentement, en me regardant très fixement, puis il s'arrête un temps, respire, et Élisabeth le regarde – tendue. Puis il prend son souffle, et c'est d'un seul trait qu'il me dit que mon arrière-grand-père a fait partie du Commissariat général aux questions juives.

À cet instant, c'est le mur rouge du salon et la lumière blanche de l'applique, sur le mur d'en face, les yeux de mon oncle tournés vers moi, avec le vide. Élisabeth me regarde aussi. À un moment, je m'aperçois que je me suis tendu vers l'avant, je dois fermer les yeux.

Je vois seulement mon frère : mon frère enfant, tout seul. Assis seul dans sa chambre, ne regardant personne, au centre de la pièce, par terre, recroquevillé. Peut-être qu'en bas il y a du monde, du bruit dans le salon, dans la salle à manger, des invités, mais mon frère est tout seul, au milieu de sa chambre, replié sur lui-même, abandonné à son silence. Il n'a pas levé la tête, rien dit, rien fait, je m'approche de lui, mais je n'arrive à rien dire, je ne peux rien dire. Et il me semble que c'est dans le silence de la chambre de mon frère que les mots de mon oncle résonnent, *Commissariat général aux questions juives.*

Je regarde Pierre et Élisabeth de très loin, des mots distants et sourds vont jusqu'à moi, *Si je pouvais seulement me faire des skins*, des mots que je n'arrive pas à dévier, à éviter. Mon frère est debout dans sa chambre, ses dents se serrent, *Si je pouvais seulement me faire des skins.* Grand corps d'adolescent, longiligne, jean neuf, pull serré, moulant sa poitrine. Peut-être qu'entre les rideaux ouverts, la nuit butte aux carreaux, je suis peut-être sur son canapé. Il dit seulement, *Si je pouvais seulement me faire des skins*, comme s'il s'agissait d'une affaire personnelle entre eux et lui, je ne dis rien, j'ai peur, qu'est-ce qu'il faudrait lui dire pour que cette tension folle retombe, pour que la rage qui le possède le lâche ?

Mon frère répète qu'il veut se faire tatouer le matricule de Primo Levi, il me dit le chiffre, *174 517.* Derrière, sur son bureau, est posée sa pipe à eau, le verre du tube noirci de l'intérieur par la fumée, et sur le balcon s'accumulent des bouteilles vides, avec un seau rempli de mégots. Quand il aura le tatouage, tout le monde comprendra que ce n'est pas pour rire, et ils pourront venir le tuer, les *skins*, il les attend. *(La vermine à éliminer, c'est eux.)* Quand il parle, il regarde tout droit, mais ne regarde rien en particulier, et il me semble qu'il ne me voit pas. Je réponds à mon frère que les extrêmes se touchent. Il dit que, justement, s'il y en a d'un côté, il faut qu'il y en ait de l'autre, pour faire contrepoids. Quand je ressors de sa chambre, je tire la porte avec une attention extrême, la serrure ferme mal, et j'ai l'impression que ce sont mes os qui s'entrechoquent lorsque le pêne heurte la gâche.

Pierre n'en sait pas plus, n'en a jamais parlé avec ma mère, il ne sait pas comment, par qui, Jean a su ça. Quant à leur autre frère, Philippe, il ne veut pas en parler, et ses enfants ne savent rien, car pour Philippe, c'est du passé, ce sont des histoires du passé.

Est-ce que ma mère sait seulement ? Il hausse les épaules, regarde Élisabeth, tout le monde sait, alors ma mère.

Nous dînons. Élisabeth ne dit pas grand-chose d'abord. Puis elle hoche la tête : venant d'une famille comme ça, il fallait venir la chercher, quand même, elle, qui avait vécu dans une famille protestante, contestataire, *de gauche*, à mille lieues de tout ce que les H. avaient toujours connu, à mille lieues de tout ce qu'étaient les H., parisiens, catholiques, et partisans de l'ordre. Sa parole ressemble à une attaque, mais sans qu'on sache exactement si c'est contre les H., contre Pierre, venu la chercher, ou contre elle-même, entrée par erreur parmi les H. Au moment même où chez les H. on était *collaborateur* (elle articule chaque syllabe), chez elle, dans sa famille (certains de ses grands-oncles, précise-t-elle), ils étaient au maquis, et elle sourit d'une moue amère. Au moment même où Raoul H. était au *Commissariat général aux questions juives*, chez elle ils risquaient leur vie en distribuant des tracts, ou en cachant des Juifs. Et quand on pense qu'ils s'étaient fiancés, Pierre et elle, chez sa marraine à elle, qui était juive, et dont l'appartement était plein de ménorahs, de talits, quand on pense que la famille H. était à leur mariage, dans la maison de sa marraine (pas Raoul, déjà mort, mais sa femme Henriette, et ses enfants), elle sourit, hoche la tête. Si sa marraine, qui pendant la guerre s'était cachée, avait su que, chez elle, il y avait, mais elle s'arrête, hoche la tête, et sourit avec une ironie amère. Il y a un silence, que Pierre n'interrompt pas.

Au bout d'un moment, la conversation dérive. Élisabeth parle de leurs enfants. Je les regarde, mais j'ai du mal à les entendre. Pierre évoque les cours d'histoire de l'art qu'il prend. Puis le dîner se termine vite, Élisabeth me regarde avec attention, j'essaie de parler, je voudrais sourire. Mais quelque chose me hante, tandis que j'essaie de répondre, de discuter.

Quand je me suis retrouvé seul, j'ai ouvert la fenêtre. D'un coup, le vent rabat vers moi les bruits du périphérique proche. Dans la nuit de janvier, la lumière du salon se projette sur le bitume de la cour. Au fond, une immense barre d'immeubles, massive, surplombe la rue, les lumières de ses hautes fenêtres minuscules, de différentes couleurs, me semblent clignoter en jaune, en bleu, pour moi. Je voudrais me fondre à la nuit lumineuse, pour arrêter de penser, je voudrais bien trouver le sens des lumières qui clignotent.

C'est comme la peur, mais je ne sais pas de quoi : je descends l'escalier qui va de notre étage au leur. Depuis le haut des marches, je peux apercevoir ma mère, assise dans la salle à manger, ses papiers entassés sur la table qu'elle trie et classe, et elle écrit des cartes postales. Elle les répartit dans de grands classeurs qu'elle range ensuite dans son bureau, sur une étagère haute. Ou elle légende les photos d'un voyage récent. Elle a toujours du retard – et les tas s'accumulent. Je remonte à notre étage. Le silence. Des pas. Ma mère s'est levée, passe d'une pièce à l'autre, revient, a dû s'asseoir parce que je n'entends plus rien, je guette. Elle dit souvent, *J'écris à mon rabbin.*

Il habite à quelques numéros de chez nous. Homme barbu, très grave, qui porte toujours un costume sombre, un chapeau. Quand elle parle de lui, ma mère dit toujours, *Mon rabbin*. Elle lui envoie une carte pour Pâques, pour Kippour – *le Grand Pardon*, explique-t-elle, et elle raconte l'histoire de ce Juif qui lit à Dieu la liste des fautes qu'Il a commises et termine en les Lui remettant. *J'écris à mon rabbin.*

Quand nous le croisons dans la rue, ma mère se présente à lui avec beaucoup de respect, *Vous connaissez mes fils*, il salue sobrement, gravement. Quand, marchant à côté de ma mère, je l'aperçois au loin, avant qu'elle-même l'ait vu, l'angoisse monte – à l'idée de devoir sourire, ce respect que, pour plaire à ma mère, je dois à ce monsieur que je ne connais pas, je voudrais bien faire demi-tour ou traverser, il est peut-être temps de l'éviter encore, mais nous allons droit dessus, et tout à coup ça y est, elle l'aperçoit, *Tiens, voilà mon rabbin*, je retiens ma respiration.

Des visages me fixent de leur regard énigmatique. Ce sont des corps, debout, serrés en foule devant moi : on dirait qu'ils ne forment qu'un seul corps. Leurs visages sont très près les uns des autres, mais tous très différents, et tous inexpressifs, aucun d'eux ne sourit, aucun d'eux ne paraît souffrir, aucun d'eux ne paraît effrayé, ni inquiet. Ils me fixent, et pourtant, on dirait que leur regard n'est attiré par rien, ne s'accroche à rien. Ils ne parlent pas entre eux, ils occupent tous le même lieu énigmatique, et pourtant on dirait qu'ils sont seuls, ne se voient pas les uns les autres. Ils me regardent fixement depuis ce lieu que je n'arrive pas à situer, très isolés les uns des autres. J'ai l'impression qu'ils m'attendent depuis toujours, depuis bien avant ma naissance, et quand je ferme les yeux ils ne bougent pas.

Amitié judéo-chrétienne. Ma mère participe souvent à des réunions d'*amitié judéo-chrétienne*, elle suit des conférences. D'après ma mère, un proverbe juif veut que quelqu'un qui s'intéresse au judaïsme ait des ancêtres juifs. Elle le tient de ses amies juives, et le répète souvent. Ma mère sourit, *Qui sait ?*

Qu'est-ce qu'un Juif ?
– Est regardé comme Juif, pour l'application de la présente loi, toute personne issue de trois grands-parents de race juive ou de deux grands-parents de la même race, si son conjoint lui-même est juif.
– Qu'est-ce que la race ?
– La présomption d'appartenance à la race juive peut être tirée de l'aspect du nom patronymique, du choix du prénom, de l'exercice du culte ou de la pratique d'une cérémonie rituelle israélite, de l'inhumation dans un cimetière juif ou de la participation à une communauté ou à un groupement confessionnel israélites.
– Mes trois grands-parents sont juifs. Je me suis converti au christianisme. Suis-je juif ?
– Oui.
– Deux de mes grands-parents sont juifs. Je pratique moi-même la religion juive. Je suis célibataire. Suis-je juif ?

Ma mère ne comprend pas pourquoi mon frère est hanté par la Shoah. Quand il rentre de sa visite d'Auschwitz, avec sa classe de lycée, il est possédé par la haine, un désir de vengeance, les mots qu'il dit, il les lâche vite, dans la rage. Les touristes qui visitaient le site sans rien comprendre, certains plaisantaient même, il aurait voulu les tuer. Elle est inquiète, il ne sait pas mettre à distance ses émotions, il ne sait pas les contrôler. Mais en même temps, on voit que quelque chose en elle est flatté, elle partage quelque chose avec lui.

La chambre de mon frère est un espace saturé d'images et d'objets : une multitude d'affiches collées partout, sur tous les murs, du sol au plafond, des images de sportifs, des dizaines de bibelots sur les étagères rangées méticuleusement, des cartons entassés dans un ordre maniaque, mais qui donnent l'impression que son installation ici – sa vie – n'est que provisoire.

Quand je vais le voir, il est assis à son bureau, à ouvrir les tiroirs, dont il tire des paquets de tabac, des barrettes de résine, du papier à rouler, il fait ses portions, avec une attention extrême. Il ne me regarde pas, ne me dit rien. Alors je prends un livre dans sa bibliothèque, je lui pose des questions, j'essaie de faire la conversation, il me répond vaguement, avec indifférence, je remets le livre en place, je m'assois, je voudrais lui parler, mais je ne sais pas comment m'y prendre. Il se lève sans faire attention à moi, et tout en ayant l'air de faire autre chose, il déplace d'un ou deux centimètres la tranche du livre que je n'ai pas rangé avec assez de précision. Au bout d'un moment, il me dit qu'il doit sortir.

Les rares fois où il me parle, c'est de sa rage, grandissante. Un jour il me dit, *Il y a une bombe en moi. Si je suis prêt à tout, je réussirai tout*. Je vois ses yeux, remplis de violence, ses mains qui remuent l'air et poussent les paroles qu'il dit, et les prolongent de toutes celles qu'il ne dit pas. Dans sa chambre qui est restée une chambre d'enfant, les objets paraissent miniatures à côté de son corps adolescent. *Je réussirai tout*, sa voix tendue par l'empressement, *ou rien. Je n'ai plus rien à perdre*. Sa voix se coupe de respirations brusques : respirer ou parler, il faut choisir. *C'est tout ou rien. Si c'est pour m'insérer dans le petit circuit, c'est bon : je vais faire péter leur système.*

Je ressors de sa chambre paralysé.

Si ma mère est présente quand il tient ces discours, elle ouvre de grands yeux, terrorisés, se tourne vers mon père, *Dis quelque chose, chéri*, mais mon père n'intervient pas. Elle voudrait dire à mon frère tous les obstacles au-devant desquels il va, les innombrables difficultés auxquelles il s'expose. Mais mon frère balaie tout ça brutalement, avec une moue de mépris, il sort.

Images plus anciennes. Je suis dans la grande salle avec les hommes, les femmes sont derrière, en contrebas de quelques marches, assises. Quand ils s'assoient je m'assois, quand ils se lèvent et que, penchés en avant, se balançant, ils récitent en chœur des mots que je ne comprends pas, je me lève avec eux, et me penche en avant, moi aussi. Devant, est tendue au mur une vaste tapisserie avec des mots brodés en hébreu, mais il n'y a pas d'autel, tous les hommes sont tournés dans la même direction. Peut-être qu'il y en a un qui récite des phrases, auxquelles les autres répondent, mais sans que je comprenne qui fait quoi, le souvenir d'un sourd malaise à ne pas savoir quoi faire, à essayer de passer inaperçu. Quand nous nous asseyons, nous nous retournons vers la salle où sont assises les femmes. Puis mon amie monte au pupitre, je l'entends réciter d'une voix chantante un texte en hébreu. Un homme prend la parole ensuite, elle rougit beaucoup, j'aime sa manière de rougir. Ma mère est dans l'assemblée de femmes en contrebas : elle rêvait de venir, alors ils l'ont invitée.

Dans les mois qui précèdent, mon amie veut que nous organisions une représentation du livre de Ruth, je dois jouer Booz. Je passe des heures à réviser le texte, à préparer de grandes banderoles représentant des champs de blé pour le décor. Nous répétons chez elle, avec certaines de ses amies. Quand elle rit, elle a une façon, qui m'est douloureuse, de se tourner vers l'une ou l'autre, qui rient avec elle, et je ne sais jamais si elle se moque de moi.

Mais le jour de la bat-mitsva, la représentation n'a pas lieu, sans qu'elle m'ait dit pourquoi. Je ne demande pas, je devine sans doute la raison : à peine quelques semaines auparavant, je me suis déclaré, de façon solennelle, lors d'une soirée chez une amie commune. Nous sommes sur le balcon très haut de l'immeuble haussmannien, il fait un peu frais, un grondement monte de la rue, avec les lumières, rouges, jaunes, la musique qui hurle dans la nuit. Je lui ai mis la main sur l'épaule, elle me regarde, interloquée, ce que j'ai à lui dire est pâteux dans ma bouche, je lui déclare d'un bloc *qu'il faut que je lui parle depuis longtemps*, interloquée, *Oui ? – Je t'aime*. Elle me regarde, ne dit rien, je ne lui demande rien, je n'ajoute rien, ou je répète peut-être que je devais lui dire depuis longtemps. Bon. Nous retournons à l'intérieur, ce malaise dans les membres le reste de la soirée, ce malaise dans les membres le jour de la bat-mitsva. Ma mère sourit aux parents, à la famille.

Des années plus tard, ma mère me dit, *C'est étonnant, non, cette histoire ?* Quoi ? Elle me regarde de biais, en souriant mais avec un sourire comme à l'affût, *Quoi ? – Cet écrivain qui publie un livre sur son grand-père collaborateur, sans l'accord de sa mère.* Le livre dont elle me parle, je ne l'ai pas lu, ma mère ne l'a pas lu non plus, elle a simplement entendu parler de tout ça. Elle me regarde, essaie de sourire, elle guette ce que je vais dire, elle voudrait mon avis. Il y a ce dégoût vague, l'envie de repousser toutes ses paroles, et leur paquet d'insinuations qui m'attirent à elle, me forçant à aller sur un espace que je ne connais pas. Qu'est-ce qu'elle veut dire ? *Rien rien*, juste qu'elle a entendu ça, ça l'a intéressée. Elle veut me dire et ne pas me dire, elle joue avec moi, je ne comprends rien, je n'aime pas ça.

Dans la salle gigantesque, je me suis assis au fond à droite, parmi une foule. Devant, il n'y a encore personne, un greffier s'active au pied de l'estrade, amasse des papiers, les prépare, les pose sur une table, puis redescend l'allée vers le fond de la salle pour parler à un garde, revient. À gauche, en avant des bancs ouverts au public, au premier rang, des chaises sont groupées, des gens y sont assis, peut-être quinze, peut-être plus, sûrement les parties civiles, des couples, des familles, ils regardent tous dans la même direction, vers le box vide, de l'autre côté, à droite, où des gardes aux épaulettes dorées se tiennent bien droit. Au mur, la balance et le glaive d'une silhouette de femme drapée, hiératique, et sur le grand pupitre de l'estrade, un buste de Marianne.

Au premier rang, à droite, du même côté que moi, il y a ma grand-mère et mon grand-père, ma mère derrière eux, avec ses frères, mais Pierre et Élisabeth sont un peu en retrait, plus près de moi. Les gens autour de moi, je ne les connais pas, peut-être des curieux, peut-être des cousins.

À je ne sais quel signal, la foule se lève, je me lève aussi, tout le monde regarde vers l'estrade. Le greffier annonce, *La Cour*, et derrière entrent trois hommes dans leurs grandes toges noires, qui portent sous le bras de gros dossiers, ils ont l'air très sérieux, très graves, ils remuent leurs manches amples, s'assoient. Puis ils ouvrent leurs dossiers, énormes tas de feuilles effrangées, ceinturés par des ficelles, des bandes qu'ils délacent. L'un d'eux tout à coup dit, *Faites entrer l'accusé.*

Des traces

C'est Jean qui sait, m'a dit Pierre, c'est Jean qui a toutes les informations. Jean, on le voyait rarement. Je le revois, dans les réunions de famille, de toute sa hauteur, avec ses petits-enfants qui courent autour de lui, il explique des choses très générales, très théoriques, sur le cours de la bourse, sur le gouvernement aux États-Unis, sur la politique française de recherche. En sa présence, ma mère se dérobe.

Je lui écris que je voudrais savoir ce qu'il sait de Raoul H. et du Commissariat général aux questions juives. Quelques jours passent, je reçois un message très long. Il est heureux d'avoir de mes nouvelles, il regrette le manque de liens dans la famille, il souhaiterait que nous nous voyions plus souvent, il a toujours accordé beaucoup d'importance à la famille et porte beaucoup d'affection à mes parents. Quant au sujet de mon message il est surpris de l'importance que j'accorde à Raoul, son grand-père, qui avec ses airs de dictateur ne lui a jamais semblé qu'un *fétu au fil de l'eau*. Il n'a travaillé *au Commissariat* que quelques mois, il s'agissait de *réquisitions* et d'*administration de biens vacants des Juifs partis à l'étranger*.

> *Juifs partis à l'étranger, traduire :* « *traîtres* ». *Biens vacants, traduire :* « *dépouilles des traîtres* ».

J'imagine des salons gigantesques dans des appartements immenses, et des ateliers sombres derrière des cours d'immeubles où il n'y a rien – tous ces appartements, ces ateliers, sont vides. Quelques débris laissés, une vieille table bancale dans un coin, avec peut-être une machine à coudre, en panne. Une ombre s'avance, parcourt les lieux, mesure méticuleusement les pièces, note ses mesures dans un petit carnet avec un soin extrême, tatillon. L'homme s'approche de la fenêtre, sa main se tend vers l'espagnolette, la tourne, et aussitôt que la fenêtre s'ouvre, le bruit de la rue s'engouffre dans la pièce. L'homme se penche vers la rue, il inspecte le chambranle, la façade, il note tout dans le petit carnet, aucune hésitation, aucun geste inutile, il referme la fenêtre. Il retourne dans le couloir, jette un dernier coup d'œil, panoramique, vers l'appartement, referme le petit carnet, après y avoir porté une dernière annotation, puis s'en va. La porte se referme. De l'intérieur, on n'entend que le loquet qui se ferme, et les pas qui s'éloignent derrière.

Jean résume : *Il ne s'agissait en somme que de relations avec les notaires, un aspect peu connu du grand public.* Ses recherches n'ont rien donné, sans doute Raoul H. n'était-il qu'à l'essai, ne signait pas lui-même les documents. Il ne s'était engagé là que pour faire rentrer son fils d'oflag, et a cessé par conséquent dès fin 41. Dans le couloir de mon immeuble, une porte s'ouvre, une porte claque, depuis le bout de l'escalier des voix s'infiltrent de la cloison ou du plafond, puis se taisent.

Il faut imaginer l'angoisse d'Henriette et de Raoul. De leur fils Jacques, mobilisé, ils n'avaient plus de nouvelles depuis la retraite, et même, ils le pensent mort, quand ils reçoivent des lettres de lui d'un oflag autrichien, où il est affamé. Et puis il y a les circonstances historiques, les deux guerres, le prestige de Pétain. Raoul H. est un *homme d'un autre temps,* sur quoi le message de Jean s'achève.

Quand je l'appelle quelques jours plus tard, il est surpris. Je voudrais le voir, lui poser des questions. Il se tait puis me dit, *Toi tu sais ce que tu veux*. Il me dit de venir le dimanche suivant.

Quand sa femme Anne m'ouvre, elle paraît inquiète, Comme elle est contente de me voir ! Jean m'invite à m'asseoir au salon, est-ce que je suis seulement jamais venu chez eux ?, c'est l'occasion de rattraper le temps perdu. Anne apporte une assiette de gâteau, tout blanc, *nougat et crème,* dit-elle, et elle s'assoit avec nous, mais se relève bientôt. Jean porte une grande affection à mes parents, mais on ne se voit jamais beaucoup, même si on habite tout près, comment ça peut s'expliquer ?, il ne sait pas, il hausse les épaules – la vie. Anne se rassoit avec nous, elle a toujours regretté de ne pas voir plus mes parents, elle a bien essayé mais il n'y avait pas de retour, c'était comme ça, chacun avait son rythme, elle baisse les yeux. Alors Jean conclut d'une voix forte qu'eh oui, malgré toute l'affection qu'on se porte, chacun est pris par ses occupations, et il hausse les épaules, puis la conversation s'épuise, alors c'est Anne qui ajoute, *Vous avez des choses à vous dire,* et nous nous levons.

Dans la chambre où il entre, il y a un bureau, derrière le lit, où des dossiers s'entassent, ainsi que sur le sol, la lumière du dehors est tamisée par un voilage. Dans un coin en hauteur, en face du lit, les images d'une télévision, branchée sur une chaîne d'information en continu, défilent, mutiques. Il me regarde comme on regarde un adversaire, sourit, *Bon, qu'est-ce que tu veux savoir ?* Je veux tout savoir. Il lève les bras en souriant, expire longuement. S'il fait de la généalogie, lui, ce n'est pas pour les ratés. L'époque qui compte, c'est l'époque héroïque, celle des fondateurs – quand la famille a fait fortune. Une génération avant Raoul, il y a même un conseiller juridique de Rothschild, il me regarde avec insistance. Alors, de longues circonvolutions de phrases s'entortillent les unes aux autres, et rattachent à de complexes généalogies les faits que je voudrais qu'il me livre bruts. Il s'est appuyé sur le dossier de sa chaise, il lisse sa cravate, me regarde dans les yeux tout en parlant, comme s'il voulait s'assurer qu'il ne perd pas mon attention. Derrière lui, épinglées dans le tissu du mur, de vieilles photographies en noir et blanc, sur l'une desquelles je reconnais ma grand-mère (en gros plan, allongée à plat ventre, dans une prairie de fleurs, souriante, jeune, jolie, comme je ne l'ai jamais vue).

Mais Raoul ?

Jean soupire, il n'a que peu de souvenirs de son grand-père. Dans le château de Beauvoir, Raoul jouait les dictateurs, interdisait qu'on lui réponde, défendait qu'on descende au village jouer avec les autres enfants – mais lui il y allait. Puis il s'écarte à nouveau, il explique que Beauvoir leur venait du grand-père d'Henriette, Émile. Il avait des usines qui livraient des pullmans à toute l'Europe, et qui avaient fourni les trains royaux du Portugal, d'Espagne, de Turquie, le train impérial russe, de très nombreux wagons-salons particuliers. C'était lui qui avait acheté Beauvoir, pour sa femme. Alors il énumère les dimensions de cet immense château, et son histoire, et je lutte pour le suivre, il me noie. Quelqu'un toque à la porte : Anne surgit avec un grand sourire un peu crispé, elle apporte deux tasses sur un plateau, un sucrier, et quelques chocolats dans une coupelle. Elle fait de petits pas furtifs, *Je ne vous dérange pas longtemps*, pose le plateau sur le bureau derrière Jean, qui prend une tasse, précautionneusement, me dit, *Sucre ?*, ouvre le sucrier, met un sucre dans la tasse, y glisse la cuiller, me tend la tasse. *Je ne vous dérange pas plus longtemps*, dit Anne, et Jean la suit du regard silencieusement, qui se glisse furtivement vers la porte. Puis Jean sourit, lampe prudemment son café, le repose, prélève un chocolat de la coupelle, le croque, mâche un moment, avant de reprendre le fil de son récit. Sa main balaie les chiffres, il énumère des dates, il va vers la bibliothèque, prend un dossier qu'il ouvre sur le bureau, en extrait une série de cartes postales d'un noir et blanc jauni, qui représentent le château sous tous les angles, et qu'il commente longuement, précisément.

Je voudrais qu'il revienne à Raoul.

Jean soupire, *J'y viens j'y viens*. Raoul aurait voulu être un entrepreneur, il se rêvait en fondateur de dynastie, à la façon d'Émile. Innover, prospérer, faire fortune – et s'imposer par l'élégance, la grâce, et la culture. Mais ce fut un échec total. Ses inventions n'eurent jamais aucun succès – comme ce dendromètre, inutilement précis, encombrant et trop cher, dont il restait une armoire pleine à sa mort. *Sur ces questions*, dit Jean, *il faut interroger Philippe*, le plus jeune de mes oncles, *Philippe s'est intéressé aux inventions de Raoul,* Jean sourit avec ironie, *il n'y a guère que Philippe pour s'intéresser à tout ça, car tout ça est un peu secondaire.*

Puis il se tait un long moment, avant de dire, *Au fond, Raoul était un héritier – qui ne supportait pas de l'être,* il inspire un moment, *Un minable,* sa voix est devenue plus grave. À la télévision, muette, des joueurs de football américain se poursuivent et se plaquent au sol. C'est tout.

Et le Commissariat général aux questions juives ?

Jean sourit, hésite, regarde un instant vers le voilage de la fenêtre. C'est par sa grand-mère, Henriette, qu'il l'a su – qu'il a su que Raoul avait fait quelque chose. Raoul était déjà mort. C'était un jour qu'il était seul chez elle : elle avait dit ce jour-là qu'après la guerre, *à cause des Rothschild,* Raoul n'avait jamais plus obtenu de poste dans aucun conseil d'administration. Pourquoi elle le lui avait dit à lui ce jour-là, il ne sait pas, il se souvient précisément des mots, *À cause des Rothschild.* Elle n'avait rien dit de plus, elle avait ignoré ses questions.

Il était allé voir sa mère. D'après elle, son beau-père Raoul était *un homme très convenable.* Mais à force qu'il insiste, elle se souvenait quand même du jour où ses parents avaient annoncé son mariage avec Jacques au printemps 1942. En apprenant le nom de son futur beau-père, un ami de la famille, notaire, avait dit, *Raoul H. ? Celui du Commissariat général aux questions juives ?* Jean me regarde seulement, se tait. (Silence tombant comme une chape sur le salon où se tient la réception.) Ses parents à elle avaient été *horriblement gênés,* précise Jean.

Il faut comprendre le contexte, enchaîne-t-il. Dans les années 30, sa mère, avec ses amies, va danser le soir aux fêtes du Parti populaire français, *parce que la musique y est bonne.* Je le regarde, sans voix : il ne voit pas de problème, sourit, *eh oui*. Ma grand-mère dansait aux fêtes d'un parti fasciste. Il sourit. Ce doit être un effet de ma naïveté : tout le monde sait ça. *C'était l'époque*, dit Jean, il hausse les épaules. Pour prendre un autre exemple, dit-il, lors du 6 février 1934, son propre père, Jacques, le fils de Raoul, s'agite et passe la nuit au poste de police. (Petits cailloux, qui viennent s'enfoncer en moi, forer de petites galeries verticales, étroites, à travers lesquelles l'air coule, le froid.) En février 1934, mon grand-père manifeste avec les Ligues. Mais ça aussi, ce doit être une évidence. *C'était comme ça, à l'époque*, dit Jean.

Du 6 février 1934, je chercherai plus tard à faire parler ma grand-mère. Trouver une voie claire entre ses souvenirs confus, qu'elle me restitue hachés, n'est pas tâche facile – mais elle se souvient de cette date-là. Coincée dans une boulangerie de la rue du faubourg Saint-Honoré à cause de l'émeute, un monsieur *très gentil*, connu de ses parents, était venu la prendre, et une amie à elle, pour les ramener chez elles, et elle rit en toussotant, *Ah ça c'était toute une époque*, comme elle dirait, *La politique que veux-tu*, balayant le sens que les mots risqueraient de contenir.

C'était l'époque, voilà tout, répète Jean, qui à présent sourit, écarte les bras. Sur Raoul, il a fait des recherches, mais il n'a rien trouvé, il pense qu'*au Commissariat* son grand-père n'était qu'une sorte de *stagiaire*, qu'il a tout arrêté une fois son fils revenu d'oflag. Il parle vite, espère m'avoir tout dit : tout à coup il me semble très pressé d'en finir.

En sortant de chez lui, j'erre longtemps dans les rues désertes, j'essaie d'accélérer, mais je marche au ralenti. Je n'arrive pas à comprendre : ma famille frayait dans les cercles de l'extrême droite radicale, et c'est censé être l'évidence. Au moment où je contourne le square, où je m'engouffre dans la bouche du métro, c'est toute la réalité qui tremble.

Je suis bourré de regrets informulables : j'entends une petite voix, qui dit, *Tu vois, c'est moi qui ai raison* – c'est une toute petite voix d'enfant. Longtemps, j'ai dit à mon frère qu'il lui faut s'adapter. En toutes circonstances, il adopte le point de vue des victimes, s'identifie à elles, mais dans la vie il ne suffit pas d'être idéaliste. Alors la petite voix de mon frère me dit, *Tu vois, c'est moi qui ai raison*. Pourquoi je ne l'ai jamais écouté ?

En rêve : lors d'une soirée chez des personnes que je ne connais pas, j'aperçois dans un coin un être exténué, étrange – il a une tête énorme, et un trou à la place d'un des yeux. Son corps tient à peine debout, isolé de tous les autres, face à un mur, tout seul, et immobile, la tête penchée en avant sur sa poitrine. On dirait qu'il vomit une omelette, des lambeaux d'œufs semblent pendre de sa bouche sur son vêtement trempé de sueur. Je m'approche, le prends sous les aisselles, je lui propose de l'emmener au lavabo, mais je ne sais pas où c'est. Quelqu'un, peut-être lui, me l'indique, c'est à l'autre bout de la pièce, il trébuche plusieurs fois en traversant la pièce sous les regards distants, réprobateurs.

À présent, nous sommes dans la cuisine, nous nous penchons sur l'évier, plein de vaisselle sale. Le propriétaire des lieux entre. En nous voyant, il paraît dégoûté, il dit à l'être exténué, *Vous autres, les monstres, vous n'êtes bons qu'à traîner avec les Juifs*. Je voudrais répondre, mais je n'ose pas. L'être exténué s'est un peu mouillé le visage, et me dit d'une voix sourde que ce n'est pas grave, il veut retourner là-bas, de l'autre côté, *pour écouter Beethoven*. Je le ramène et le couche par terre, je le recouvre d'une couverture. Je lui demande s'il a assez chaud, mais il s'est endormi. Quelqu'un me dit ensuite, un peu plus loin, que les enfants comme ça, les parents savent, dès avant la naissance, ils auraient pu faire quelque chose, *Apparemment, dans ce cas-ci ils se sont acharnés*.

La porte du box s'ouvre : entre un homme encadré par les gardes. Il est raide, âgé, il toise la salle avec un air de morgue, puis détourne les yeux, affecte l'indifférence. Il n'a pas un regard pour les parties civiles. Le juge dit, *Asseyez-vous.* Mais l'homme ne s'assoit pas, glisse un mot à l'oreille d'un des gardes. Puis le garde se tourne vers le juge, *Il voudrait dire un mot.*

Le juge a gardé la main levée, comme en suspens, puis se tourne vers le greffier, et d'un ton d'agacement, *Où est son avocat ?* Le greffier cherche dans les papiers, fouille, fébrile, puis lève les yeux et dit, *Il n'y a pas d'avocat, l'accusé se défend par ses propres moyens*. Le juge réprime un mouvement d'exaspération, sa bouche fait une sorte de claquement, puis un soupir. Il se tourne vers le garde, et d'une voix sèche, *Que veut-il dire ?*, ajoute, *Mais rapidement*. Le garde se tourne vers l'homme, lui parle à l'oreille. L'homme se lève, et avant d'ouvrir la bouche, toise la salle. Il dit d'une voix forte, sèche, coupante, *Je tenais à préciser que ma présence ici me paraît tout à fait injustifiée. Je ne reconnais aucunement la légitimité de cette Cour, et par voie de conséquence aucun des jugements qu'elle serait susceptible de rendre*, et l'homme s'assoit.

Un moment de silence, le juge a l'air interloqué. Je ne me sens pas très à l'aise, assis sur ce banc, avec la famille, je voudrais bien me déplacer, mais je n'ose pas. Puis le visage du juge s'est durci, tout à coup, il dit durement, *Relevez-vous.* Le garde glisse une main sous le bras de l'homme, et le fait lever. *Votre point de vue n'intéresse pas la Cour, Monsieur – mais les faits*, puis il dit, *Vous n'êtes pas à la source du droit, Monsieur*. L'homme reste impassible.

Sur une photographie que Jean m'a montrée, Raoul H. est assis dans un fauteuil, vieil homme à moustache, un jeune enfant sur ses genoux dans une tenue bouffante de dentelle blanche. *Mon frère Philippe sans doute,* a dit Jean en se penchant sur la photo, la retournant, n'y trouvant pas de date, précisant à nouveau, d'un air ironique, *Philippe n'a jamais eu de mauvais rapports avec Raoul.*

Philippe, le plus jeune de mes oncles. Quand, enfant, je le croise dans les réunions de famille, je suis frappé par son air doux et un peu oppressant lorsqu'il s'adresse à ses enfants, *Alors qu'est-ce que tu veux me dire ?,* visage tout près de leurs visages. *Tu as fait ça ?,* d'un air encourageant, et il leur donne des recommandations sur un ton rationnel qui me met mal à l'aise, *Il faut être bien sage hein ?*

J'ai prétexté que je passais dans la région, que je pourrais leur rendre visite. Philippe a répondu, *Bien sûr, quelle bonne surprise*, qu'ils seraient ravis. Le gris pluvieux, la rue sinueuse à travers le quartier résidentiel silencieux, triste. À l'arrêt de bus, j'étais seul à descendre, longer des pavillons, dans les jardins desquels chemins pavés de galets au milieu de pelouses tondues au millimètre.

Son long visage délicat s'est penché dans l'entrebâillement de la porte vers moi, en me souriant. Je regarde ses longues mains fines. À présent, nous sommes dans le grand salon sous la mezzanine, d'où tombe une lumière large, malgré la pluie, qui résonne sourdement, goutte après goutte, sur le velux. Il s'est levé du canapé, pour remettre une bûche dans la cheminée, où, déjà, d'autres craquent et répandent une chaleur intermittente, il tisonne les braises. *C'est l'avantage*, dit-il, *une cheminée*, remue les bûches, qui craquent, *c'est tellement agréable*, puis il raccroche le tisonnier à son support de fonte. Il disparaît dans la cuisine et ressurgit quelques instants plus tard, deux tasses à la main, les pose sur la table basse, et vient s'asseoir, tout près de moi.

Je sais que tu ne t'entends pas très bien avec tes parents, dit-il soudain d'un ton très grave, pénétré, il me fixe de façon insistante, *Je sais que ce n'est pas facile*, pose une main sur mon bras – mais d'après lui, beaucoup de conflits peuvent se résoudre par la parole, c'est le plus important : parler. De la cheminée, montent des crépitements, de petits craquements sourds, parfois une bûche se déplace dans une volée d'étincelles, et quelque chose de moi bouge dans l'âtre. La pluie a cessé sur le velux, mais la lumière décline à présent, depuis la mezzanine, où l'on distingue les portes des chambres. Philippe allume le lampadaire, puis se relève pour remuer une bûche, les braises s'éparpillent. À l'élégance de ses longues mains anguleuses, soignées, remuer les bûches semble une tâche parfaitement étrangère. Il est revenu s'asseoir, précise qu'il s'est toujours bien entendu avec ma mère. Il lui doit beaucoup, ma mère s'est souvent occupée de lui quand ils étaient petits, il me regarde de sa manière énigmatique, comme s'il ne cherchait pas à voir, simplement à convaincre – tâtonnant vers une présence qu'il n'aurait pas vraiment identifiée. Leur mère avait beau être là, on ne pouvait pas dire qu'elle était très présente, et après un moment il ajoute, *psychiquement*. Il sirote son thé.

Sur une gravure au mur, des arbres s'alignent, coupe longitudinale, légendés de textes minuscules, de chiffres. Il a suivi mon regard, se lève, *C'est une planche d'un vieux manuel d'arboriculture*. Il s'est toujours intéressé aux arbres, se serait bien vu travailler à l'Office national des forêts, mais il a fini par faire Centrale, comme tout le monde, par prendre des directions qui l'éloignaient complètement de l'arboriculture. Il pense qu'à la source de cet intérêt, il y avait peut-être ses étés au château de Beauvoir. Je sursaute. Son grand-père Raoul connaissait les arbres, dit-il seulement.

Est-ce qu'il s'entendait bien avec lui ?

Il ne l'a pas beaucoup connu, mais il lui reste quelques souvenirs : sa silhouette sur la terrasse de Beauvoir, assise dans son fauteuil, regardant le bois en contrebas. Il parlait peu. Peut-être que Philippe prévoit les objections qu'on pourrait faire, car il s'arrête et dit doucement, *Dans la famille, beaucoup sont très critiques, mes frères Pierre, Jean. Bien sûr ils ont raison, dans une certaine mesure,* mais il ne précise pas sa pensée. Il hausse les épaules : lui l'aimait bien. Il avait peut-être dix ans quand il est mort. Il se lève, va relever la bûche, elle crache une nouvelle série de braises, il se rassoit. *C'est amusant que tu t'intéresses à ça,* les yeux dans le vague.

À un moment il ajoute, *Il faut que je te montre quelque chose*, il disparaît. Quand il revient, il tient une sacoche en cuir et quelques revues jaunies, qu'il pose sur le canapé, il soulève le rabat de la sacoche, pour en extraire l'appareil – un gros boîtier en métal. Raoul H. avait appelé son prototype de dendromètre l'*altamètre*, il me montre le cadran, les chiffres indiquant les mètres, les centimètres, il me montre le viseur, comment on devait se placer, il fait mine de me prendre pour objet de la mesure, il sort la mire pliante de la sacoche, la déplie. Il m'explique que le dendromètre, appareil de calcul de la hauteur des arbres, est basé sur un principe trigonométrique de mesure des angles, et nécessite que l'observateur se place à une distance prédéterminée de l'arbre, la plus proche possible de la hauteur estimée. Il me tend l'objet. L'invention date des années 30, mais elle ne se vend pas. À la fin des années 50, Raoul H. élabore un nouveau prototype, en améliore la précision – *alors qu'il a soixante-quinze ans !*, précise Philippe.

Il me montre les revues, qu'il tient de son père. Il lit, avec une pompe légèrement ironique, *La Revue forestière*, il précise, *la référence sur ces questions*, il ouvre un numéro de décembre 1959, et après un rapide coup d'œil au sommaire indique qu'un article rend compte du dendromètre soumis à la revue par *un inventeur du nom de Raoul H.*, Philippe tourne rapidement les pages, jusqu'à l'article. Le rédacteur y précise que *les essais effectués ont donné toute satisfaction*, et que *la précision de l'appareil vaut largement celle des dendromètres existants*, mais il ajoute, *Qu'il soit permis toutefois de regretter – la perfection n'est du reste pas de ce monde – l'encombrement relatif de l'appareil, et le fait que son prix de vente actuel dépasse celui de ses concurrents étrangers vendus en France.* Au fond, trop encombrant, trop cher, avec une précision qui n'était pas meilleure que celle des autres modèles – Philippe ne termine pas sa phrase.

Jusqu'à la parution de la critique de l'altamètre, Raoul H., recevant la *Revue forestière*, y cherche chaque mois le compte rendu. Dans son fauteuil du salon de Beauvoir, il tourne les pages sans trouver ce qu'il cherche, il repose la revue sans rien dire. (Margoton, la bonne, est assise dans un coin, reprisant soigneusement, lentement, un gant ou une nappe.) Et puis, un jour, le compte rendu est là, scrupuleux, méthodique, qui, avec sa manière précieuse d'exprimer ses nuances *(la perfection n'est du reste pas de ce monde)*, signe l'échec inéluctable de Raoul H. Il lisse le napperon qui couvre l'accoudoir de son fauteuil, se lève, marche vers le bureau, lentement. Margoton le regarde qui s'éloigne dans le couloir.

Le numéro suivant de la *Revue forestière* comprend une lettre de Raoul H. L'entendre pour la première fois : entendre sa voix, son style. Philippe lit, *Depuis ma dernière lettre à votre adresse, j'ai reçu plusieurs témoignages qui me confirment combien la « Revue forestière » est lue ; je vous remercie encore davantage de la peine que vous avez bien voulu prendre en publiant l'article sur l'ALTAMÈTRE dans le numéro de février*. Raoul H. se permet toutefois d'attirer la bienveillante attention du rédacteur sur deux points que celui-ci lui semble avoir omis de signaler, et qui lui paraissent pourtant avoir une importance certaine : *d'abord la possibilité de décaler horizontalement les images, par rotation latérale d'un miroir, grâce au petit bouton situé à côté du cadran est fort appréciable en de nombreuses circonstances, soit pour amener une coïncidence parfaite entre l'image du point visé et le pied de l'objet, soit pour être bien certain qu'il s'agit de,* mais la suite se noie dans ce style tatillon, scrupuleux, tendu par une ténacité démente. *L'existence du NIVODŒIL fait par ailleurs connaître instantanément et sans aucune installation ni réglage sur place, tout point situé dans la nature, dans toute direction et à toute distance, au même niveau que l'œil de l'opérateur. Un tel repère permet,* il s'acharne, il revient à la charge. Je l'imagine assis dans son bureau, soixante-quinze ans, certain de triompher – il manipule son invention, les mots sont comme de petites roues qu'il fait tourner les unes avec les autres, le monde n'y comprend rien, il triomphera du monde, il recule son fauteuil, remet l'appareil dans sa sacoche, le prend, et sort. Quand Philippe se tait, je suis tétanisé.

Une fois qu'il tenait quelque chose, il ne le lâchait pas, dit Philippe avec son air sérieux qui me met mal à l'aise.

La lettre de Raoul H. précise qu'il a pris bonne note de la remarque finale sur le prix de ses appareils, mais il se doit de préciser que ce fait tient à diverses causes, et notamment à la précision plus grande qui entraîne des dispositions spéciales, à la dimension de la mire, un peu encombrante il est vrai, mais dont la longueur même assure justement une grande précision, à la quantité assez réduite d'appareils de cette première série, d'où l'importance accrue des frais de mise en route, et à la fourniture d'une robuste sacoche *en cuir*. Philippe répète, *en cuir*, me montre la revue, où l'expression est soulignée : *en cuir*. Je regarde le texte, incrédule.

Néanmoins, afin de tenir compte de la critique de la *Revue forestière* qu'il considère comme une juste suggestion destinée à faciliter la vente de ses appareils, Raoul H. a le plaisir d'annoncer aux lecteurs de la *Revue forestière* qu'il a décidé de laisser les trois – *altamètre, mire et nivodœil*, précise-t-il – pour le prix global de trente-deux mille francs, retranscrivant la somme en chiffres et entre parenthèses (*32 000 fr*), *toutes taxes actuelles comprises, franco d'emballage et de port.*

Philippe referme la revue, *Mais rien,* il sourcille, *Un échec complet*. Raoul H. était mort trois ans plus tard.

Il y a encore un numéro de la *Revue forestière* dans lequel il est question de Raoul H. Le texte, intitulé *Une bonne occasion,* date de 1961 : c'est à peine un article – une annonce. *Dans la « Revue forestière » de février 1959, nous signalions qu'un inventeur français, M. Raoul H., avait commercialisé un dendromètre original, digne d'intérêt, dont il avait réalisé à la fois la conception et la fabrication. M. Raoul H. vient de mourir, laissant à ses héritiers un stock assez important d'appareils. Son fils, M. Jacques H., désire se défaire rapidement des dendromètres en question. Pour y parvenir, il nous fait savoir qu'il est prêt à les céder au prix de cent francs pièce, très inférieur au prix de revient réel. Étant donné l'intérêt certain de cette offre, nous en tenons informés nos lecteurs. Ceux que l'affaire intéresse voudront bien entrer directement en rapport avec M. Jacques H.* Philippe s'est tu, répète, *Cent francs !* Mais, ajoute-t-il, très peu furent achetés même à ce prix-là. Quand il avait trouvé l'armoire pleine d'altamètres, Jacques ne savait même pas s'en servir, Raoul ne lui avait jamais montré. Philippe ajoute que lui non plus ne savait pas, quand son père lui a donné celui-ci.

Puis sa femme Clotilde surgit, vive, tendue, elle m'embrasse brusquement, et nous propose, *On dîne ?* À table, elle me demande *où j'en suis*. Qu'est-ce qu'elle veut dire ? L'ennui de ma réponse fait mourir ses questions. Philippe essaie de faire la conversation, mais Clotilde ne l'écoute pas. Elle me demande si j'ai vu mamie récemment, comment je l'ai trouvée la dernière fois que je l'ai vue ? Elle pense que son état ne s'améliore pas, il y a un silence. Elle ajoute qu'on ne peut pas dire que ça soit très brillant. Puis brusquement elle lâche que, d'après elle, quand même, les H. sont une famille assez spéciale, Philippe relève la tête, qu'est-ce qu'elle veut dire par là ? Eh bien, mais dès le début, elle les a trouvés un peu spéciaux quand même, il veut un exemple ? Le jour de leurs fiançailles, quand les parents de Philippe ont rencontré ses parents et sa sœur à elle, sa mère a dit à Philippe, *Mais elle est bien, sa sœur, tu ne trouves pas ?, tu ne préfères pas la sœur ?* Elle pique un morceau de viande dans son assiette, elle me regarde, *Pas mal hein ?* Ou bien plus tard, quand ils ont su qu'elle était enceinte (avant le mariage), son père a dit à Philippe, *J'imagine qu'à présent tu ne changeras plus d'avis,* elle sourcille, *Charmant accueil hein ?* Philippe dit seulement, *C'est vrai,* il ne peut pas dire le contraire, c'est vrai qu'ils étaient comme ça. Puis Clotilde se lève, me dit, *Je vais te montrer quelque chose*. Philippe avale, regarde vers elle, méfiant, *Qu'est-ce que tu,* mais elle sort.

Elle revient avec une feuille : c'est un texte que son beau-père avait écrit pour être donné après sa mort à ses enfants. Philippe dit, *Écoute non.* Mais pourquoi non, elle ne voit pas pourquoi, après tout, ce n'est pas un secret, c'était pour les petits-enfants aussi, elle me demande si je connais ce texte. Elle se doutait que non de toute façon, elle met ses lunettes. La feuille est couverte d'une petite écriture dense. *Sachez que je vous aime tous et que je respecte votre liberté, même si je n'ai pas approuvé certains de vos choix et si je pense que vous les regretterez plus tard.* Elle se demande bien quels genres de choix, celui de leurs épouses peut-être ? Philippe garde les yeux baissés, remue quelque chose au fond de son assiette, du bout de sa fourchette. Un peu plus loin, *Vos enfants vous estimeront davantage si vous savez les punir quand ils le méritent. Préservez-les de la pollution des esprits et des âmes. Elle ne se constate parfois qu'avec un long retard, c'est pourquoi elle est plus dangereuse que l'autre.* Elle répète, *la pollution des esprits et des âmes, ça ne s'invente pas !* Un court moment s'écoule avant que Philippe lève les yeux, *Oui*, dit-il, *bon, c'était un bigot, il était d'une certaine époque, voilà.* Clotilde a replié la lettre, s'est remise à manger.

Un peu plus tard, elle me demande si ça va mieux avec mes parents. Mieux par rapport à quoi. Elle dit que, dans la famille, on n'a presque rien su de la mort de mon frère, que personne n'en parle, qu'elle sent bien que c'est compliqué. Ah. Puis les silences s'accumulent. Plus tard, Philippe me raccompagne à la gare. Nous ne disons rien, les lumières des réverbères défilent, petites boules lumineuses qui jalonnent les rues, mes yeux sautent de l'une à l'autre.

Il y a une réunion de famille : c'est dans une salle louée pour l'occasion dans un quartier que je ne connais pas. Nous sommes d'abord restés dehors parce qu'ils doivent préparer la salle, nous attendons dans la rue. Là, Raoul H. installe une sorte de machine avec quatre hélices dirigées vers le sol. Il s'active autour sans nous voir, s'occupe des branchements, du mécanisme, il est très occupé. Il fait bon : c'est le printemps, la nuit commence à tomber. Alors nous entrons : Raoul H. à présent remplit des verres de jus de fruits, mais pour qui sont les verres, est-ce que je dois en prendre un, et boire moi aussi ? Certains de mes oncles et de mes cousins sont là, mais ils circulent loin de moi, sans se parler, ils ont l'air de dériver au loin les uns des autres. Je cherche mon frère des yeux, mais je ne le trouve pas, je ressors. Il fait presque totalement nuit à présent. Quelqu'un se trouve là, il ne fait pas partie de la famille et n'est pas en costume – c'est sans doute un passant ou quelqu'un du quartier, je ne l'ai jamais vu. Il regarde fixement la machine à hélices de Raoul H., et ne m'a pas remarqué. Les quatre hélices tournent continûment avec un vrombissement sourd, désagréable, une couche de glace épaisse s'est formée sur le sol, projetée apparemment par le froid des hélices. La glace saisit les fils électriques montant le long du pied de métal. L'homme, en avant de moi, regarde longtemps l'appareil, puis se retourne : je ne vois pas son visage, seulement ses yeux. Je me réveille.

J'ai étalé les photographies de Raoul H. sur mon bureau. C'est ce corps droit, le torse bombé, sûr de lui-même, un regard effronté, supérieur, la certitude d'avoir le paysage avec lui, le regard du photographe avec lui. (Image qui m'évoque les camarades de classe que mon frère détestait, sûrs d'eux-mêmes, arrogants, quand ils parlaient de leur carrière à venir. C'est dans sa chambre qu'il les cite, un soir, la voix pleine de dégoût, il les a en horreur – il va tout arrêter, il ne veut pas leur ressembler, il est le contraire d'eux. S'il pouvait seulement les faire taire, il serre les poings, *Salauds fils de famille salauds*, il me fait peur, je ne sais pas quoi dire, il parle de nous, de lui.)

Le regard dur de Raoul H., très droit, sa moustache qui sourit, et qui me fait peur. Ici, c'est un jeune homme en costume de cheval, les cheveux rabattus sur le front, peut-être une vingtaine d'années, costume avec col large, cravate blanche, cravache dans une main, bombe d'équitation dans l'autre, des bottes. L'arrogance, mais aussi quelque chose de narquois. Sur une autre photographie, il est tout jeune sur un âne, l'air railleur, insolent. (Ses parents sont restés en arrière, le regardant de loin, souriant, mais son sourire à lui est peut-être un moyen de donner le change, il se sait ridicule, à califourchon sur son âne, les jambes pendantes, les pieds au ras du sol.)

C'est comme un corps-à-corps : c'est entre lui et moi. Je sens bien qu'il est là, quelque part, mais sans que je sache où, bien tranquille, silencieux, sûr de lui, certain que je n'ai pas les moyens de le rejoindre. L'angoisse est de ne pas être sûr que ce n'est pas lui qui va l'emporter. Il doit bien y avoir une solution pour sortir de ce cercle. C'est comme si ma pensée butait contre un mur : je cherche par tous les moyens une issue, mais où la trouver ? Je lis tous les livres d'histoire que je trouve sur le Commissariat général aux questions juives : rapports, biographies, témoignages, je vais droit aux index, je cherche H. Je ne le trouve pas.

L'homme se lève, *Je vous prie de m'excuser, Monsieur le Président*, il dit, *Monsieur le Président*, sur un ton ironique, mais personne ne l'interrompt, *J'entends bien que les temps ont changé, que les valeurs, les lois de l'ancien temps n'ont plus cours*, puis avec un léger sourire, *Je suis contraint de l'observer*, mais le juge ne l'interrompt pas. *Néanmoins, dans l'objectif de justifier ma présence en ces lieux, il me semble qu'il ne serait pas inutile de produire quelques éléments de preuve d'une culpabilité quelconque de ma part*, dit-il, prenant un air serviable, souriant, *Je suis prêt à examiner tout élément de présomption*, sur un ton de courtoisie extrême. Il se rassoit. Le juge ne dit toujours rien.

De l'autre côté de l'allée, sur les bancs des parties civiles, visages figés, alternativement tournés dans la direction de l'homme et dans celle du juge, comme interdits, et qui ne disent rien. Le juge a fermé les yeux un moment, a laissé échapper un soupir, puis il a respiré profondément, *Il faut commencer*, il ferme les yeux encore un temps, respire profondément, et répète, avec un peu plus d'assurance, *Nous pouvons commencer*. L'homme s'est rassis en hochant la tête, il sourit avec un air de réprobation, de mépris.

De l'autre côté de l'allée, je reconnais mon frère, assis sur un banc. Il a jeté un regard dans notre direction, est-ce qu'il me voit quand je me lève ? Je ne veux pas lui faire de signe trop marqué, je crains que ceux qui sont à côté de moi me le reprochent.

Regarde-moi.

Regarde-moi.

Aux Archives

J'avais tout lu sur le Commissariat général aux questions juives, je commençais à m'épuiser et Raoul H. à se dissoudre. De ce que j'avais lu et que Jean m'avait dit, j'avais seulement déduit que Raoul H. devait être *administrateur provisoire*.

> *Article 3 de la loi du 22 juillet 1941 relative aux entreprises, biens et valeurs appartenant aux juifs. – La nomination de l'administrateur provisoire entraîne le dessaisissement des personnes auxquelles les biens appartiennent, ou qui les dirigent. L'administrateur provisoire a de plein droit, dès sa nomination, les pouvoirs les plus étendus d'administration et de disposition ; il les exerce au lieu et place des titulaires des droits et actions, ou de leurs mandataires, et, dans les sociétés, au lieu et place des mandataires sociaux ou des associés, avec ou sans leur agrément.*

C'était l'un des meilleurs spécialistes de la question, il avait dépouillé les archives du Commissariat général aux questions juives, peut-être qu'il pourrait me dire où chercher quoi. J'avais fini par lui écrire ce que je savais de Raoul H., ce que je pensais savoir et ce que je cherchais – une confirmation, des preuves, peut-être des rapports signés de la main de Raoul H. Dans le message que je lui adresse, une gêne sourde entrave les mots que j'utilise. Il me répond très vite, et simplement, il me propose qu'on se rencontre, me désigne un café tout près de l'université où il enseigne.

Quand j'arrive, en avance, les gens entrent, s'assoient, discutent dans le brouhaha, je m'assois dans un coin isolé. Là-bas, un groupe qui parle fort, interpelle le serveur de façon familière, commande une autre tournée de bières, leur rire me pénètre péniblement, je guette l'arrivée de l'universitaire. Je me rassois sur ma chaise, je chiffonne le papier du sucre, je le roule en boule sur la soucoupe. Quelqu'un entre. Je me lève à demi, peut-être que c'est lui ? Mais il ne regarde nulle part, ne guette personne, cherche une table libre, je me rassois. Les bruits ne me parviennent plus qu'assourdis, avec les lumières et les ombres : cliquètements de tasses, de verres, des serveurs qui se hèlent, je remue un fond de café froid dans ma tasse. (Mon frère est assis tout seul, il me suit du regard, il dit, mais tristement, *J'ai confiance en toi*, puis, sur le même ton triste, *Ça va aller, ne t'inquiète pas*.)

Quand il pousse la porte, je devine que c'est lui – âge mûr, une silhouette massive et haute, un peu lasse, légèrement penchée, comme lestée par un cartable tenu à bout de bras. Il porte une veste en velours élimé, déformée par le poids de ce qui encombre ses poches. Il cherche des yeux quelqu'un qui pourrait ressembler à ce que je lui ai dit de moi – je lui fais signe, il bifurque. Je balbutie un remerciement gêné, il ne dit pas grand-chose, s'assoit, sourit, met des lunettes aux verres épais et ses yeux s'élargissent, d'un coup.

Je parle, j'entends que je parle, mais je ne vois que mes mains qui se croisent, je voudrais que quelqu'un entende les voix qui viennent de très loin en moi, je répète les mots que j'ai lus ou qu'on m'a dits, je voudrais me différencier de tout ce qui vient de ceux qui m'ont parlé, je répète les mots de Jean, *quelques mois seulement*, et *prendre possession de biens vacants*, tout cela me paraît hautement improbable. Il sourit, puis répond lentement, part de plus loin, comme si ce n'était pas à ce que je viens de dire qu'il répondait. Il dit que les choses n'ont bougé que récemment, il parle du discours présidentiel de 1995 au Vel d'Hiv où, pour la première fois, était reconnue officiellement la responsabilité de la France dans la déportation. Il évoque la Mission Mattéoli, lancée en 1997, et qui permit de mesurer l'ampleur de la spoliation. Sa voix est grave et lente, il prend de longues respirations, dit que l'histoire ne se déplace que par blocs lourds, lentement, ses mains se lèvent et accompagnent ses paroles – me les montrent.

Puis il raconte : à l'automne 1940, les nazis imposent que les entreprises juives de la zone occupée soient recensées. Une affiche jaune est placardée devant les commerces, *Juif. (Est définie comme juive toute entreprise qui a un gérant juif ou plus d'un tiers de Juifs dans son conseil d'administration.)* Puis un homme se présente, décline sa mission, son titre *(administrateur provisoire)* : le plus souvent un inconnu, mais parfois un voisin ou même un concurrent. Il remplace l'affiche jaune par une affiche rouge, prend possession du bien, dresse l'inventaire, appose des scellés. Artisan, commerçant, on vous traite en failli, vous ne pouvez pas rester, vous ne pouvez exercer aucune fonction, conseil, expert, vendeur, vous n'avez plus le droit d'être au contact des fournisseurs ou des clients. Si vous ne voulez pas trouver vous-même un acquéreur, l'administrateur provisoire doit s'en charger, aussi vite que possible, et faire un appel d'offres ou liquider. *(Aryanisation économique.)* Ceux qui ont les moyens peuvent se replier en zone libre, s'enfuir, se soustraire aux effets, mais si ce sont vos seules ressources, votre survie est en jeu, ainsi que celle de votre famille.

> *La loi française, depuis cent vingt ans, fait un gros mensonge ; elle considère comme français des gens qui ne sont pas français puisqu'ils sont juifs. La législation doit se remettre d'accord avec la vérité. Elle doit rendre aux Juifs leur nationalité de Juifs, conformément à la raison, à l'histoire, à la justice, à l'humanité.*

La loi française qui entérine ces procédures date de juillet 1941 : Vichy veut contrôler le processus initié par les Allemands et le légaliser. Vichy l'étend à la totalité du territoire. Les administrateurs provisoires sont placés sous le contrôle du Commissariat général aux questions juives, créé en mars 1941.

> *Nous, Maréchal de France, chef de l'État français, Le conseil des ministres entendu, Décrétons :*
> *Article 1er. – En vue d'éliminer toute influence juive dans l'économie nationale, le Commissaire général aux questions juives peut nommer un administrateur provisoire à*
> *1° Toute entreprise industrielle, commerciale, immobilière ou artisanale ;*

2° Tout immeuble, droit immobilier ou droit au bail quelconque ;
3° Tout bien meuble, valeur mobilière ou droit mobilier quelconque,
lorsque ceux à qui ils appartiennent, ou qui les dirigent, ou certains d'entre eux sont juifs.

L'administrateur provisoire gère le bien jusqu'à ce qu'on trouve un acquéreur, la procédure garantissant la régularité de l'*aryanisation*, la transaction faisant l'objet d'un contrat devant notaire.

La liquidation des biens juifs ne fut pas une spoliation – comme le fut la liquidation des biens des congrégations religieuses au début du siècle –, elle fut une transmutation où des biens mobiliers ou immobiliers étaient convertis en espèces dont l'État français garantissait la propriété aux Juifs.

Tant que la vente n'a pas eu lieu, dit l'universitaire, tout est dans les mains de l'administrateur provisoire. Il peut, sous réserve d'en être autorisé par le Commissariat, verser des subsides à son administré au cas où cela s'avérerait *absolument indispensable*. Selon une ordonnance allemande de mai 1941, sont concernés les *dépenses d'entretien*, les *prélèvements vitaux* et les *subsides mensuels*, plafonnés *en fonction du train de vie antérieur*, mais tout cela dépend de l'administrateur. Or il y a de tout, parmi les administrateurs – certains exercent la fonction en respectant les règlements vichystes, ne touchant que leur solde, mais d'autres cherchent à s'enrichir, subtilisent une partie de l'inventaire, qu'ils falsifient, ou bien extorquent de l'argent par le chantage, certains s'arrangent pour racheter le bien avec l'idée de le revendre très vite beaucoup plus cher (ce que les règlements vichystes interdisent formellement). Il faut donc distinguer la spoliation (le vol légal) du pillage – car à l'époque, spolier est un travail. *(Article 7 – L'administrateur provisoire doit gérer en bon père de famille.)*

Au tout début du processus, dit l'universitaire, on peut dire que la vente en est une, même si elle est forcée. Selon une loi de février 1941 le produit est remis au vendeur. Mais dès avril, le produit de la vente est bloqué sur un compte à la Caisse des dépôts et consignations. Afin de s'assurer que le *capital juif* est sous contrôle, on plafonne le montant des retraits et on impose un compte de prélèvement unique. Le temps qu'on trouve un acquéreur, que la vente soit homologuée, que les frais soient prélevés, se passent souvent plusieurs années, période pendant laquelle vous avez largement le temps, et surtout si vous êtes étranger ou apatride, d'être arrêté, dès mai 1941 (rafle du billet vert) puis août (rafle du 11e arrondissement), et à partir de juillet de l'année suivante, avec femme et enfants, même français (Vel d'Hiv). En 1943, ceux qui peuvent fuir ont déjà fui. L'universitaire se tait, tourne sa cuiller dans son café, qui doit être froid, pose la cuiller sur la soucoupe, et se recule sur le dossier de sa chaise. *Au fond, la Caisse des dépôts et consignations était devenue, après la guerre, comme un immense cimetière.*

Tout d'un coup, les bruits reviennent : cuillers qui tintent, verres qu'on ramasse, un serveur passe près de moi, dans un brouhaha une grappe de corps se dirige vers la porte vitrée, reste un moment dehors devant le bar, puis se disperse, s'éloigne. Je me sens glisser dans un espace indescriptible, gluant. Des visages me regardent.

Ma voix est une chose inerte au fond de ma gorge, mais je finis par lui demander où commencer ma recherche. Alors il réfléchit un instant, fouille dans sa poche de veste, remue des choses mêlées, finit par en sortir un papier froissé, sur lequel il note quelques chiffres, le fait glisser sur la table vers moi. Tous les cartons du Commissariat général aux questions juives sont aux Archives, cote *AJ38*, et sa main large me montre le chemin que je dois prendre, la salle des inventaires est au premier étage, en haut de l'escalier qui traverse le hall. L'inventaire du Commissariat général aux questions juives est au fond à droite, son doigt tendu tapote le papier qu'il fait glisser vers moi, tout est microfilmé, il faut que j'aille aux dossiers des administrateurs du département de la Seine, et il écrit sur son papier une série de numéros. L'inventaire m'indiquera la référence précise du carton où se trouvent les dossiers des administrateurs dont le nom commence par H.

Puis c'est fini, l'universitaire s'est écarté de la table, a cherché dans la poche intérieure de sa veste quelques pièces. Dans sa poignée de main, c'est comme si le réel tenait, mais il s'en va, lentement, de sa démarche légèrement boiteuse. Je dérive dans le jardin qui jouxte la place. Nous nous y promenions enfants, mes parents habitent le quartier. Mon frère court à travers les allées, entre les arbres, *Hé là, tu restes là*, dit ma mère, *tu ne cours pas*, mais il court quand même, il n'y a que moi pour rester avec elle, bien sage. Ou bien il va vers le bassin circulaire, où il est tombé une fois, *Hé là tu reviens*, il a enjambé le rebord et il est entré dans les cinquante centimètres d'eau. Ce jour-là, notre nourrice le repêche, trempé, s'ébrouant, et nous ramène à la maison, *Ce n'est pas sérieux*, dit-elle d'un ton qui se voudrait grondeur mais ne l'est pas, notre mère ne va pas trouver ça drôle. À la maison, en effet, ma mère ne trouve pas ça drôle, *Il ne sait plus quoi inventer*. Ou alors il se penche vers les pigeons à qui il donne à manger. Sa concentration est extrême quand il leur donne à manger, il les regarde comme s'il voulait leur parler, il leur tend les miettes du bout des doigts, les pigeons viennent picorer tout près. Quand je m'approche, ils s'éparpillent, je descends les marches vers le bassin, où des enfants poussent des bateaux qui flottent en zigzags d'un bord à l'autre, lentement, sous la chaleur inutile – autour, sur les chaises métalliques, des multitudes de silhouettes se reposent.

Ce sont des grappes d'images, qui, par leur densité, commencent à m'engourdir. Une musique monte, très grave d'abord, très lente, et triste (quelques notes simplement se détachent) avant de s'accentuer, grandir, gagner sur le silence. Je reconnais le *Kol Nidre*. Le jour de mon mariage, des amis jouent, au violoncelle, une version de ce chant juif, ma mère n'est pas pour, il faut faire attention au sens, au contexte, argumente-t-elle, *Kol Nidre* est récité avant le coucher du soleil qui précède l'office de Yom Kippour – mais je balaie l'objection.

Les joueurs d'échecs se sont réparti les tables du fond du jardin, des groupes d'observateurs s'y agglutinent. Très concentrés, sans un regard pour ceux qui les entourent, ils avancent leurs coups vite, puis tapent sur l'horloge, un compteur s'arrête quand l'autre reprend en face, parfois un commentaire, un grognement ou un murmure, ponctue le coup, ou soudain, l'un des deux adversaires rabat d'une main ses pions qui restent, c'est fini.

En sortant du jardin, le bruit revient, assourdissant. Au milieu d'un carrefour se dresse Dreyfus, en bronze, façonné dans une pâte raide, tendu, l'épée droite devant lui, lame brisée.

Paroles du Kol Nidre : *Au nom du conseil d'en haut et au nom du conseil d'en bas, avec le consentement de l'Omniprésent — loué soit-Il — et avec le consentement de cette sainte congrégation, nous déclarons qu'il est permis de prier avec les transgresseurs.*

Après avoir passé le seuil, l'accueil se trouve de l'autre côté du hall, derrière le grand escalier. Là, une dame, assise à son bureau, me sourit derrière ses lunettes, avec beaucoup de bienveillance, *Raisons de l'inscription ?* J'ai chaud. Personnelles. Elle tapote ma réponse sur son clavier, puis sourit, tend la carte que la machine vient d'imprimer. Sa main me montre la direction des vestiaires, l'escalier derrière moi, l'accès aux salles en haut.

J'ai pris les numéros de cotes *AJ38* qui me concernent, et le peu de références que j'ai sur un papier. Dans la salle des inventaires, je souris largement à la dame de l'accueil, je dis *AJ38*, très fort. Elle répond à voix basse, avec indifférence, me montre le fond de la salle. Sous les lampes alignées, quelques silhouettes, assises aux tables en bois ciré, tournent lentement de longues pages, prenant consciencieusement des notes au crayon, très posément. À mon passage, quelques regards se lèvent machinalement, je voudrais que personne ne me remarque – et personne ne me remarque.

L'inventaire du Commissariat général aux questions juives est un livre vert foncé : listes de fonctions, de services, avec entrées et sous-entrées, cotes qui s'alignent. Dans le sommaire, *Administrateurs provisoires, départements, Seine,* numéros que l'universitaire m'a donnés, les dossiers sont répartis sur plusieurs cartons, les noms listés par ordre alphabétique – ne figurent dans l'inventaire que ceux qui ouvrent et ferment chaque carton, A, B, mon doigt descend, G.

Il est là. Raoul H.

Il y a son nom dans l'inventaire, un carton se ferme sur son dossier, H. Raoul. Les lampes disposées au-dessus des tables diffusent une lumière pâle sous les abat-jour verts devant les corps disséminés à d'autres tables, plus loin, continuant leur travail, au calme, lents, silencieux.

Il faut encore monter d'un étage pour commander la bobine aux ordinateurs d'une salle où des dizaines de corps sont attablés devant de très hauts manuscrits aux pages jaunies, ouverts sur des lutrins. En attendant que la bobine soit acheminée, je bois le petit café dilué, sans goût, de la machine du rez-de-chaussée. Derrière la vitre, dans la grande cour plantée d'arbres, un employé bine un parterre, il travaille sans hâte, remue la terre, la retourne, méthodiquement. Je m'approche de la vitre, je regarde sa lente détermination, de l'autre côté de la paroi, tout près.

Au dernier étage, la bobine est sûrement sur une étagère haute, contre d'autres bobines, alignées toutes dans la pénombre et le silence. Bruit d'un interrupteur. Au moment de s'allumer, les néons clignotent quelques instants, lâchent un grésillement rapide, hésitent avant de s'éclairer franchement et de vrombir en continu. Alors une main lasse surgit, passe le doigt lentement sur une rangée, vérifie lentement les cotes, passe tout près de celle que j'ai commandée, la survole, en prélève une autre, s'éloigne, et les néons s'éteignent. Raoul H. est par là, quelque part, sûr de lui, bien tranquille, avec son petit sourire, rangé depuis l'éternité dans le silence et dans le noir. Quelques instants passent, les néons se rallument, une autre main s'approche, qui cherche, dépasse la bobine (et Raoul H. sourit), puis au bout d'un moment, revient en arrière, cette fois le doigt se pose dessus, et la main la prélève, l'emporte, la nuit se fait à nouveau dans la pièce.

Quand on monte au dernier étage, il n'y a plus de fenêtres, l'espace s'assombrit, impression de me faufiler entre d'énormes obstacles, d'énormes blocs. De l'autre côté de la porte, surgit d'abord un brouhaha dans l'atmosphère tamisée : le bruit vient des machines alignées, moteurs qui s'accélèrent, grondent, bandes qui claquent. Des silhouettes les actionnent, absorbées, minutieuses, fixant l'écran des machines auxquelles elles travaillent. À droite se trouve le comptoir, une employée se penche vers une lectrice, un homme entre par une porte sombre derrière, un petit carton au bras, rempli de boîtes.

L'homme pose son carton, avant de s'avancer, se tourne vers moi, l'air très poli, se penche. Je tends d'un geste trop brusque la fiche sur laquelle est inscrit le numéro de la bobine, avec la honte : je viens de là, de Raoul H. Il se retourne vers l'étagère, cherche un instant, la main levée. À la fenêtre les stores filtrent la lumière en gris, un moteur vibre, s'accélère avant de s'arrêter, *Voilà*. Le type me tend une boîte, est-ce que je sais me servir des machines ?, d'un ton très doux.

Installer la bobine lentement, glisser l'entrée de la bande sous la lamelle de verre, amorcer le mécanisme, bloquer l'entrée de la bande dans la bobine réceptrice et la laisser s'y enrouler – une image un peu sombre surgit, un peu jaune, puis défile. Des noms, des chiffres, des dates, des feuilles de comptes, je feuillette les dossiers des autres administrateurs, des listes d'entreprises *juives*, des listes d'immeubles *juifs*, je survole des rapports, des actes de vente, je m'approche de G., de H., je ralentis, les pages défilent lentement, dans un ronronnement. Puis il est là, Raoul H.

Déclaration souscrite / en exécution de la Loi du 3 octobre 1940 / sur le Statut des Juifs / M. Raoul H. (tamponné) / *adresse* (tamponnée) / *Déclare ne se trouver dans aucun des cas suivants :*

1ᵉ – être issu de trois grands-parents ou plus de race juive ;

2ᵉ – être issu de deux grands-parents de race juive, mais être marié à un Juif ou à une Juive ;

3ᵉ – avoir un conjoint de race juive.

Fait à Paris, le 15 juin 1941

C'est ce grondement des autres machines, l'angoisse, le vrombissement dans mon oreille.

> *Qu'est-ce qu'un Juif ?*
> *– Celui ou celle, appartenant ou non à une confession quelconque, qui est issu d'au moins trois grands-parents de race juive, ou de deux seulement si son conjoint est lui-même issu de deux grands-parents de race juive.*
> *– Qu'est-ce que la race juive ?*
> *– Est regardé comme étant de race juive le grand-parent ayant appartenu à la religion juive.*
> *– Le critère de définition est-il la race ou la religion ?*
> *– La loi française ne fait nullement reposer la définition juridique du Juif sur le critère religieux. Elle se contente de*

l'utiliser ainsi que le font les lois étrangères, comme élément de discrimination lorsque l'élément racial n'est pas déterminant.
– Qui d'autre ?
– Celui ou celle qui appartient à la religion juive, ou y appartenait le 25 juin 1940, et qui est issu de deux grands-parents de race juive.
– Deux de mes grands-parents sont juifs. Je pratique moi-même la religion juive. Je suis célibataire. Suis-je juif ?
– Oui.
– Deux de mes grands-parents sont juifs. Je me suis converti au christianisme. Je suis célibataire. Suis-je juif ?
– La non-appartenance à la religion juive est établie par la preuve de l'adhésion à l'une des autres confessions reconnues par l'État avant la loi du 9 décembre 1905.

Une liste suit : noms des administrés, quinze en tout, chefs d'entreprise, particuliers, artisans-commerçants.

Dates de nomination de Raoul H. comme administrateur provisoire, de juin 1941 à mars 1943. Il ne s'est donc pas arrêté, comme le pensait Jean, au retour de son fils d'oflag, en décembre 1941, il a continué bien au-delà – au-delà du retour de Laval, au-delà des rafles de 1942. Comptes de résultat, prix de vente, émoluments perçus. Les lettres envoyées au Commissariat général aux questions juives par Raoul H. sont écrites dans un style parfaitement neutre, très méthodique, scrupuleux. En octobre 1941, Raoul H. devient administrateur d'une maison faisant commerce de *tout ce qui concerne la literie et la voiture d'enfants* : l'affaire ne contient, selon les mots de Raoul H., *plus aucun agent juif.* (Pieuvre étendant ses tentacules, organisation souterraine dont les membres travaillent de façon secrète, insidieuse, soif insatiable de pouvoir.)

Le seul *agent juif* de ce fonds de commerce est son propriétaire, M. Pierre Dreyfus, réfugié à Marseille. Le directeur de l'entreprise a indiqué à Raoul H. que ce Pierre Dreyfus est *le propre fils du trop célèbre Alfred Dreyfus, si connu depuis 1894. Il y a donc lieu de craindre,* écrit Raoul H., *que M. Pierre Dreyfus ait conservé, dans certains milieux politiques, des relations de son père susceptibles de faire retourner un jour en sa faveur les décisions qui auront pu être prises contre lui,* la main de Raoul H. se raidit sur la lettre.

> *Je n'ai pas besoin qu'on me dise pourquoi Dreyfus a trahi. En psychologue, il me suffit de savoir qu'il est capable de trahir et il me suffit de savoir qu'il a trahi. L'intervalle est rempli. Que Dreyfus soit capable de trahir, je le conclus de sa race.*

M. Pierre Dreyfus, écrit Raoul H., *n'a jamais voulu répondre, paraît-il, par principe, depuis un an, à aucune lettre risquant d'avoir des répercussions sur sa situation.* (Pierre Dreyfus est né en 1891. Sur une photographie pâle que je trouverai plus tard, on le voit discrètement sourire dans la cour de l'École militaire où son père est réhabilité, quand il a quinze ans. Homme effacé peut-être, taciturne, en retrait, et qui regarde avec un effroi vague, silencieux, les forces qui s'abattent et qu'il connaît, il a aidé son père à écrire ses mémoires, il les a publiés, il sait ce qui arrive, il rejoindra bientôt les Forces françaises libres.)

J'ai donc résolu de tenter l'impossible pour voir moi-même M. Pierre Dreyfus personnellement. Un homme raide, debout, serre la mâchoire, se sent capable de tout – de *tenter l'impossible.* Il s'agit d'obtenir une réponse, à défaut d'un accord, que son insoumission puisse être opposée à Pierre Dreyfus, sur la base des lois qu'il se refuse tacitement à reconnaître. *Dans ce but, j'ai demandé, il y a longtemps déjà, pour aller en zone libre, un laissez-passer que je viens d'obtenir ces jours-ci. J'y partirai dès le début de novembre, et ferai tout ce que je pourrai pour obtenir un accord écrit de M. Dreyfus. Si je ne puis l'obtenir, je pourrai lui envoyer du moins de Marseille même, une carte-lettre recommandée, et au besoin une sommation par huissier ; je serai ainsi davantage à l'abri de ses revendications éventuelles.*

En décembre 1941, par un courrier envoyé au Commissariat général aux questions juives, on apprend que Raoul H. a pu se rendre à Marseille, pour rencontrer M. Pierre Dreyfus.

Le train arrive à la gare Saint-Charles. À l'extrémité du toit de la gare, se dévoile le ciel d'un gris opaque, lumineux, Raoul H. marche d'un pas rapide, monte dans un taxi, se fait conduire le long de la Canebière, non loin de laquelle M. Pierre Dreyfus habite l'une des avenues qui plongent dans le Panier. Le froid de novembre est sur le port, les quais sont étrangement calmes, Raoul H. descend du taxi, paie le chauffeur, gravit lentement les quatre étages qui conduisent à l'appartement, la sonnerie grêle perce l'air dense.

Après un bruit de pas furtif derrière la porte, s'écoule un long silence, puis la porte s'entrouvre sur la silhouette de Pierre Dreyfus, qui fixe Raoul H., inquiet. Raoul H. toise le fils d'Alfred Dreyfus, puis se présente, décline sa mission, son titre : il se rappelle à son souvenir à la suite des lettres envoyées et restées sans réponse. (Extrêmement poli, très sec, se penchant légèrement en avant, avec quelque chose comme de l'obséquiosité.) Pierre Dreyfus, distant, hésite un instant, puis finit par ouvrir la porte plus grand, le laisse entrer, Raoul H. a enlevé son chapeau, la porte se referme sur eux.

Quelques dizaines de minutes plus tard, quand Raoul H. ressort, il prend congé avec le même air de politesse forcée, redescend lentement les étages, se penche sur la chaussée pour guetter les taxis, le ciel a ce même gris plombé. Dans le trafic dense, Raoul H. lève une main, hèle un chauffeur, le taxi s'arrête, Raoul H. monte, *La gare*, le taxi file.

Raoul H. écrit plus tard que Pierre Dreyfus *semblait favorable à une vente amiable de son fonds de commerce*. Pierre Dreyfus avait sans doute repoussé l'échéance, laissé dans l'évasif la question de son accord pour une vente, et Raoul H. l'avait sans doute mis en garde, *Je vous prends au mot*, et Pierre Dreyfus avait ajouté qu'il ne s'engageait à rien. Un mois ou deux plus tard, Pierre Dreyfus refuse de s'associer à quelque transaction que ce soit. Raoul H. écrit au Commissariat général aux questions juives, *Dans ces conditions, et puisque M. Pierre Dreyfus renie ses engagements, nous devrons procéder à une vente d'office de ce fonds*. Il a tout fait pour préserver les intérêts de M. Pierre Dreyfus, il n'a pas ménagé sa peine, M. Pierre Dreyfus n'a que ce qu'il a voulu.

Le dossier Raoul H. comprend, classés de façon chronologique, ceux de ses victimes. En juin 1942, l'avocat d'une administrée de Raoul H. écrit au Commissaire général aux questions juives pour se plaindre de la gestion de Monsieur H., qui, depuis sa nomination en octobre 1941, n'a jamais versé aucun secours alimentaire à sa cliente, sauf une somme de deux mille francs au mois d'avril 1942, somme qui lui a seulement permis de payer son terme. *J'ai l'impression que cet honorable administrateur provisoire doit interpréter les lois et décrets d'une manière erronée, car il me semble difficile qu'il puisse refuser à ma cliente un versement mensuel de 1 500 à 2 000 francs qui lui est nécessaire pour vivre.* Sa cliente n'a absolument aucune autre ressource, et si cette pénible situation se prolongeait, elle en serait réduite à *mourir de faim*. C'est pourquoi il se permet de s'adresser au Directeur du Commissariat général aux questions juives pour lui demander de faire usage de son autorité auprès de Monsieur H., afin qu'il verse à sa cliente la pension alimentaire prévue par les décrets.

Ces visages qui me fixent de loin, de leurs regards très silencieux, depuis un lieu énigmatique, je voudrais qu'ils s'en aillent. Ils ne m'adressent ni reproche ni question : ils ne me demandent rien, ils me regardent simplement, depuis l'autre côté, depuis ce lieu sans nom, de leur air calme, serein. Il me semble qu'ils m'attendent, qu'ils me devancent, puis disparaissent. Peut-être qu'ainsi naissent les fantômes, quand je me réveille la nuit.

À la suite de ces correspondances échangées avec le Commissariat général aux questions juives, figurent, dans le dossier, des documents du printemps 1947, adressés au *Ministère de la Justice, Service de Contrôle des Administrateurs Provisoires*, ou qui en émanent. À la suite des documents qui tricotaient la spoliation, ont été classés ceux qui la détricotaient : même dossier, mêmes archives.

Dans une lettre adressée au Contrôleur des administrateurs provisoires en 1947, une femme se plaint de ce que Monsieur H. s'est octroyé pour honoraires, sur les comptes de son entreprise de produits d'entretien et de nettoyage, plus de deux fois plus que ce à quoi l'autorisait le règlement du Commissariat général aux questions juives – que la lettre cite. Que par ailleurs Monsieur H. a récupéré *à titre forfaitaire pour solde du remboursement de ses frais de gérance* le montant disponible en caisse et aux chèques postaux, ce dont il n'a jamais démontré avoir obtenu l'autorisation de la part du Commissariat général aux questions juives, au règlement – que la lettre cite – duquel ce type de procédure était totalement contraire. La plaignante demande remboursement de ces deux sommes, au total plus de onze mille francs.

La plaignante y ajoute ce passage : *Après m'avoir mise à la porte de la maison m'interdisant d'y revenir et me prévenant que si j'y revenais c'était Drancy qui m'attendait, il a aussitôt prévenu le Commissariat de police et le jour même, l'après-midi, un inspecteur de police est venu voir à la maison si j'y étais et est revenu après à différentes reprises. Ceci m'a été rapporté par les employés de la maison.*

C'est cette lumière grise que filtrent les stores à la fenêtre, le mal aux yeux arrive plus tard. Sur le palier de la boutique, Raoul H. s'adresse à la femme déjà sortie : très droit, sans aucun geste d'agressivité, souriant même, levant les mains pour dégager sa responsabilité, juste sa voix cassante, *Et si vous revenez, vous savez ce qui vous attend,* hochant la tête, sourcillant, comme un parent qui se donne l'air très calme au moment de menacer, *Ce sera Drancy,* aucune description, le nom suffit, *Drancy*. Les corps assis autour de moi avancent lentement, méticuleusement, dans leur lecture, très calmes, très méthodiques, penchés sur les écrans, couvrant leurs petits carnets de notes denses.

La silhouette de la femme se perd avec empressement au bout de la rue et se mêle aux passants, après s'être retournée de manière furtive. Du fond de la boutique, par une porte, quelques visages regardent la scène. Un regard brusque de Raoul H. derrière lui, et ils disparaissent aussitôt. Puis il prend son manteau à la patère, s'habille lentement, et s'efface dans la rue à son tour. C'est plus tard que la police était venue, avait sonné, jetant silencieusement un regard soupçonneux, à droite à gauche, dans la cour, visitant les bâtiments du fond, vérifiant. La gardienne, sur le pas de la porte, sans un mot, les avait regardés s'en aller.

À la suite de cette plainte, Raoul H. avait dû être convoqué, puisqu'une lettre manuscrite, adressée à *Monsieur le Contrôleur* et datée de la fin du printemps 1947, depuis le château de

Beauvoir, suit celle de la plaignante. La signature porte le nom d'Henriette H. Celle-ci se permet, respectueusement, d'informer Monsieur le Contrôleur que sa lettre vient de leur parvenir, ici, dans l'Yonne, *Mais Monsieur H. est au lit depuis 15 jours déjà avec une forte grippe. Le médecin venu ce matin même ignore pour combien de temps il peut en avoir encore avant de pouvoir rentrer à Paris. Cela ne pourra de toute façon être que vers la fin de ce mois.* Et son mari la charge de l'excuser auprès de lui, étant dans l'impossibilité d'aller le voir avant la fin de la semaine comme il le souhaite, mais qu'il soit assuré que son mari ne manquera pas de lui demander un rendez-vous dès qu'ils auront pu rentrer à Paris. Qu'il veuille bien agréer, Monsieur le Contrôleur, l'assurance de ses sentiments distingués. (*ignore, ne pourra de toute façon, aller vous voir, être assuré, ne manquera pas, vous demander, nous aurons pu, sentiments distingués.*)

Raoul H. regardait le bois, assis dans son fauteuil, silencieux, pensif, quand Margoton s'est présentée, muette comme toujours, lui a tendu la lettre. Sur l'enveloppe imprimée était indiqué l'expéditeur, *Service de Contrôle des Administrateurs Provisoires*, et mécontent déjà, Raoul a déchiré l'enveloppe de quelques saccades brusques, d'un doigt. Il a lu rapidement, puis a dit, d'une voix sèche, *Ah, bien*, puis il s'est levé, d'un mouvement exaspéré, est rentré dans le château, d'un pas vif, *Henriette*.

Henriette, il est debout dans l'entrée du château de Beauvoir, *Henriette*, d'une voix sèche. Quand elle finit par surgir, *Enfin*, dit-il sèchement à mi-voix, et elle le regarde avec empressement, *Oui ?* – mais il ne répond pas, il avance vers la porte de son cabinet de travail à elle, de l'autre côté du salon, la lui ouvre, lui fait signe d'entrer devant lui. Dans la pénombre (les volets sont tirés pour protéger les meubles de la lumière de juin, le château flotte dans une clarté fantomatique, hésite entre la lumière qui filtre de dehors et l'ombre), se dessinent les silhouettes d'un secrétaire et de deux guéridons, et les bibliothèques en acajou ciré, Raoul H. lui fait signe de s'asseoir. Elle a allumé une petite lampe, et leurs masses jaillissent de la pénombre percée par le jaune électrique, *Écris*.

Debout derrière sa femme assise, les mains dans le dos, il dicte la lettre. Il marche dans la pièce de long en large, sec comme toujours, nerveux, très sûr de lui. Henriette, penchée sur le papier à lettres, s'applique pour écrire. Il cherche les mots qu'il lui faut, *Le médecin venu ce matin même*, et souriant sans doute chaque fois qu'il les trouve, *me charge de l'excuser*, s'adressant à un haut fonctionnaire, *comme vous le souhaitez*, parlant comme entre gens du monde, *ne manquera pas, un rendez-vous*, souriant.

> *Bonald avait raison : l'affranchissement des Juifs a dégénéré en une oppression des chrétiens.*

Le dossier se termine par un rapport de 1952 sur la même affaire. *Proposition : Classement*. D'après l'expert financier, Monsieur H. s'est effectivement rendu coupable d'une infraction en ne reversant pas à son ex-administrée l'excédent d'honoraires, mais la plaignante a reçu de l'État remboursement de cet excédent et le préjudice qu'elle a subi se trouve ainsi *réparé*. D'autre part, aucun agissement délictueux n'a été relevé à la charge de Monsieur H. L'État poursuivra donc Monsieur H. pour la somme engagée, à concurrence des remboursements qu'il avait pris en charge. Mais pour le reste, la plaignante ayant retiré sa plainte, il semble, *étant donné d'autre part la minime importance des sommes dont il s'agit*, que l'information ouverte à titre interruptif de prescription, puisse être close au vu du présent rapport. Dans un alinéa, l'expert précise qu'en ce qui concerne les menaces d'internement dont la plaignante *aurait été l'objet* de la part de son ex-administrateur provisoire, il *appartenait semble-t-il à celle-ci* de porter ce grief devant la cour de justice.

Quand j'ai voulu payer les tirages des documents que j'avais consultés, et tous les autres qu'il me restait à lire, l'employé des Archives sans regarder mon paquet s'est penché vers moi et m'a regardé avec un regard compassionnel, *Il s'agit de recherches familiales ?*, d'un ton de voix très doux. J'ai sursauté, je n'ai rien dit, je devais baisser la tête. Quand je l'ai relevée, il avait pris un air compréhensif, souriant il m'a tendu le paquet de feuilles, *En ce cas c'est gratuit.* Remercier, redescendre, très vite. Dehors, soleil voilé, mais je ne vois que l'ombre, et bourdonnante, vertigineuse.

D'après un souvenir de Jean, le seul jour où son père avait parlé de Raoul H., reconnaissant que pendant la guerre il n'avait pas été du bon côté, il avait ajouté, avec l'air pétrifié qu'il pouvait prendre, *Les enfants ne peuvent pas dénoncer leurs parents*, et Jean n'avait plus jamais posé de questions.

(Je croise mon frère dans une soirée. Nous nous sommes assis dans un coin, je lui parle de Raoul H. Je lui explique, il répond de sa voix d'enfant, *Il prenait les biens des Juifs ? Au nom de quoi ? – Au nom de la loi.* Il pleure.)

Enfant, ma mère me parle souvent d'un écrivain connu qu'elle apprécie beaucoup, et dont les livres sont hantés par l'Occupation, même s'il est né après la guerre. Juif, son père en avait réchappé, se cachant, se livrant à toutes sortes de trafics. Sur les plateaux de télévision, raconte-t-elle, cet écrivain ne termine jamais ses phrases, flotte dans l'idée qu'il a en tête, ânonne quelques mots, évoque des choses qu'il ne parvient pas à décrire parfaitement, et elle est fascinée par sa façon d'esquisser sa pensée sans la dire. Un critique l'invite dans son émission, de livre en livre : il l'aide à accoucher de sa pensée, dit-elle. Ma mère doit être assise devant la télévision, avec sur les genoux une de mes chemises, un de mes pantalons, à quoi elle coud une étiquette, dont elle reprend des boutons. Il cherche sa pensée, ou ne la cherche pas vraiment, puisque cette confusion de tout ce qu'on ne peut pas expliquer, c'est ce qui lui permet d'écrire sans doute. Et peut-être plus encore qu'à l'écrivain dont la parole hésite, l'admiration de ma mère va au critique qui pose les questions, facilite les réponses, appartenant à un monde stable, lui.

Mon père a appelé, voulait me voir. Il téléphone ainsi, à intervalles de deux ou trois mois, et comme si on s'était quittés tout récemment, il me demande comment ça va, et si on pourrait se voir un jour de cette semaine ou de la semaine suivante dans le café habituel, si cela me convient. Il utilise les mots de tout le monde, les mots des autres. Parce qu'à un moment, j'ai décidé que je n'irais plus chez eux, il parle toujours du café habituel. Plusieurs fois j'ai dit non, *Pas le café habituel,* à cause de cette routine dans laquelle il se moule avec une telle aisance. J'ai donné d'autres adresses, et il a dit d'accord aux autres adresses, puis je me suis lassé. Alors je dis, *Le café habituel, d'accord*. Il faudrait refuser de dire d'accord, il faudrait chaque fois dire que non, ça ne peut pas être comme d'habitude, qu'il n'y a pas d'habitude. Mais je ne le dis pas, je dis, *D'accord, le café habituel*.

Quand je lui demande pourquoi, qu'est-ce qu'il y trouve, lui, se voir tous les deux ou trois mois, sans rien se dire, sans que jamais il réagisse à ce que j'ai dit la fois d'avant, il dit, *C'est important de garder le contact*. C'est un mot qu'il emploie, *Contact*, prendre contact, garder le contact. Il me sourit. Comment je vais ? Je fais tourner mon verre sur la table. Et eux ? Il me donne quelques nouvelles, celles de ma mère sont évasives. Il parle des recherches qu'il a faites sur la captivité de son propre père en oflag, et sa voix s'anime. Il y a passé toute la guerre. Cela fait quelque temps déjà qu'il essaie de retrouver des traces, son père parlait peu, ni de ça ni du reste d'ailleurs, même s'il les avait emmenés là-bas dans les années 50, son frère et lui, profitant d'un voyage d'affaires. Il a retrouvé des bribes, son nom dans les archives de l'amicale des anciens de l'oflag.

La conversation s'étire. Je demande à mon père s'il se souvient des grands-parents paternels de ma mère. Il est surpris, mais il répond que non, qu'il ne les a jamais connus, il me sourit, attend mes questions, il a l'air de ne pas se douter autour de quoi je tourne, il se tient simplement à ma disposition. *Comment c'était, Beauvoir ? Est-ce que maman en a des souvenirs ? – Mais certainement. Elle en a certainement des souvenirs.* Une grande maison de vacances, du temps passé entre cousins, le plaisir d'être ensemble, le soleil, la nature, les balades en forêt, et voir ses grands-parents, des souvenirs agréables. Je le regarde en silence. Sa façon de combler les vides en essayant de coller à ce qu'il imagine être ce que j'attends, peut-être qu'il sent que ça ne va pas. Il tente de me répondre ce qui pourrait convenir, et ses mains suivent sa voix, s'entrouvrent, il insiste, *De bons souvenirs*. Puis avec le silence, ses mains s'arrêtent, se reposent, entourent le verre qu'on lui a apporté, il me regarde en souriant, il cherche.

Et le grand-père de maman, Raoul ? Il lève les mains d'un air distant : il ne l'a pas connu, mais bon, quelqu'un qui devait ressembler à Jacques, son fils. *C'est-à-dire ? – C'est-à-dire que ce n'étaient pas des marrants. – Pas des marrants ? – Oui*, et sa bouche fait une grimace qu'il semble vouloir aussitôt effacer, comme pour chasser le souvenir de son beau-père. D'une main il voudrait évacuer tout ça, il n'a rien à en dire, *Pas des marrants. – Ah bon ?* Alors, c'est comme à contrecœur qu'il me répond que, quand même, à un moment, au début de leur mariage, il a fallu qu'il mette le holà. Puis il s'arrête, les mots qui suggèrent un peu plus que ce qu'ils disent, il les bride aussitôt. Il y a sûrement quelque part dans son corps – mais où ? – un endroit où fouiller pour trouver cette parole arrêtée, mais je n'arrive jamais à remonter tout à fait assez haut, tout à fait assez loin dans le corps de mon père pour qu'on parle, ce qui s'appelle parler. *Le holà ? – Aux premiers temps de notre mariage, il a bien fallu faire comprendre aux parents de ta mère qu'il fallait arrêter d'appeler chez nous, que c'était trop. – Trop quoi ? – Leurs coups de fil intempestifs, leurs pressions et leurs plaintes, leur façon de s'immiscer dans la vie de ta mère*. Il a parlé très vite, se tait à présent.

Et l'antisémitisme dans la famille, il y en avait ?

Il ne répond pas d'abord, il ouvre les yeux d'un air surpris, il ne sait pas, me regarde, il a l'air de chercher, ma foi, il n'en sait rien, il serre les lèvres dans une moue dubitative, sceptique. Mais il ne me demande pas pourquoi je veux savoir. Je le regarde avec suspicion. Il me sourit, il ne sait pas d'où vient la gêne entre nous. Il ne me demande rien, il me demande comment je vais, ce que je fais, mon quotidien, il prend les bribes que je lui donne, par manque de mots.

Est-ce qu'il pense à mon frère parfois ?

Il prend une longue respiration : parfois, en apercevant certaines silhouettes dans la rue, il a l'impression de le voir.

Son regard glisse. Derrière, les serveurs déploient les nappes, posent les serviettes, les couverts, quelqu'un fait des essais de lumière au fond de la salle.

Nous nous quittons. Je dérive dans Paris – quelqu'un m'a livré au vide, et je voudrais bien savoir qui, puisque personne n'est responsable. Je voudrais des réponses aux questions que je n'ai pas posées – mais qui déferlent de toute chose, des immeubles tellement hauts, tellement loin. Une voix me dit, *Pourquoi tu t'entêtes ?*, elle me soulève, me retourne, me repose par terre. Il me semble que le monde autour de moi devrait me parler mieux de ce qui s'est passé. J'ai peur d'ouvrir la bouche, je voudrais me fondre aux choses anonymes. Quand je ferme les yeux, je vois Raoul H. là, assis au milieu de nous, souriant tranquillement, avec morgue.

Je suis dans le salon avec ma mère. Pourquoi elle s'intéresse autant au judaïsme ? Elle a la tête dans les dossiers. Elle veut me parler de Raoul H. : quand il a saisi la bibliothèque d'un Juif, la femme de celui-ci l'a supplié de lui en laisser une partie au moins. Mais Raoul H. a fait mine de ne rien entendre, il a plissé les yeux, a dit, *Mais qu'est-ce que veut cette Juive ?* Tout ça je le sais déjà. Je lui dis que je suis allé voir Jean. Alors ma mère se lève, scandalisée. Papa vient de rentrer du pressing, avec du linge propre plein les bras. Elle se plaint de moi auprès de lui, *Tu te rends compte, il va voir Jean !*

Je ne sais pas ce qui me pousse à parler de tout ça à tout le monde. Comme si cela me résumait, me justifiait.

Un ami m'écoute attentivement, nous mangeons des olives, puis je me tais. Il se recule sur son fauteuil, il se rappelle qu'une fois, dans le bus avec sa grand-mère, elle lui avait montré une personne qui se trouvait à côté, et avait dessiné d'un geste exagéré la forme de son nez, *C'est une Juive*, à voix basse. Puis il hausse les épaules, et ajoute, *C'était l'époque*. Ça lui paraît plutôt sympathique, cette façon qu'a ma mère de compenser le crime par la fascination.

> *Ce matin, je suis partie avec Maman. Deux gosses dans la rue nous ont montrées du doigt en disant : « Hein ? T'as vu ? Juif. » Mais le reste s'est passé normalement.*

D'après lui, ma mère a certainement souffert de tout ça. *Tu reprends des olives ?*

Une autre fois, je suis dans le salon d'un couple d'amis. Le halo de la lampe, non loin de la table basse, découpe des ombres, repousse le noir aux coins de la pièce, derrière les meubles, aux carreaux des fenêtres. Lui, très mince, le visage anguleux, le dos appuyé au dossier de son fauteuil, parle par petites bouffées, réprimant légèrement ses rires – elle, penchée en avant, généreuse, parle fort, et rit fort. Les pions avancent sur le plateau. À un moment, je leur raconte, mais je parle trop vite, toujours trop vite, c'est difficile de tout reprendre depuis le début, ils ne m'ont rien demandé, c'est comme si je ne parvenais pas à reprendre le fil, comme si je ne retrouvais pas le fil, d'où tout cela remonte.

Elle se penche en avant au-dessus de la table, elle m'écoute. Puis au bout d'un moment, elle dit seulement, doucement, *Mais, au fond, en quoi ça te concerne, cette histoire ?* Je crois que c'est mon tour de jouer, mais je me suis arrêté, j'essaie de regarder la table basse où se trouve le plateau, avec les pions. L'escalier grince au loin, je lève les yeux, je vois les tranches des livres dans la bibliothèque. Je voudrais dire quelque chose, quelque chose me soulève, mais les mots sont trop lourds pour moi et je n'arrive pas à les sortir, comme si j'avais voulu percer la couche de noir qui nous entoure et que je voyais bien que ce n'est pas possible.

Une voix me dit, *À toi de jouer*. Je lance un dé, j'avance un pion, je ne sais pas ce que je fais. Ils ont sorti une carte du socle en plastique, la question qu'ils me posent, je ne sais pas de quoi elle parle, il y a trois réponses possibles, je dis quelque chose, puis ce n'est plus mon tour de jouer.

Je les regarde l'un après l'autre, je dis, d'une voix d'enfant, *Le type, il spoliait*. Elle répond, d'une voix basse, très douce, *Dans un certain milieu, tout le monde pensait comme ça, ça n'a finalement rien d'exceptionnel, ce n'était pas si rare. – Pas pensait : faisait*. Elle sourit d'un air indulgent, *Mais tout le monde sait ça.* Je serre mon poing, je tends les doigts, *Non.* Il y a un silence. Lui, *Mais pourquoi lui accorder une telle importance ?*, puis il dit, *Comme s'il n'existait plus de fascistes aujourd'hui,* il rit bas. Elle, se tait, me regarde. Tout à coup, elle a pris un air maternel, *J'ai peur que tu te perdes,* puis elle ajoute, *Que tu te laisses manger par le passé.*

Il fait rouler les dés dans sa main, puis les lance, ils culbutent sur le plateau, avec un petit bruit sourd, une succession de très petits entrechoquements très nets, il compte les cases, son pion avance, il se frotte les mains, elle a sorti une carte qu'elle lit. Le noir s'approfondit, je regarde à travers la porte vitrée la lumière allumée dehors sur la terrasse, le blanc vif qui tombe sur les chaises de jardin, net, lumineux, la serviette blanche sur la pelouse. Mais c'est une réalité trouble, l'impression d'être un bloc inutile, dressé dans la lumière d'une lampe dans la nuit, trop sûr de soi, trop sec. Comment c'est possible, ce silence, ce n'est pas possible, je me tais, je serre les doigts, je balbutie, avant d'ouvrir les mains, *Il n'a jamais été jugé, il a vécu tranquille après ça.*

Elle a un air un peu gêné maintenant, elle me demande où j'ai trouvé, comment, comme si elle consentait à jouer mon jeu, mais à distance. Quand je raconte l'histoire de mes oncles, les indices, l'universitaire, les Archives, elle dit, *C'est courageux, tout le monde n'ose pas faire ça, chercher tout ça,* elle se penche vers moi, *Tu penses que tu es assez fort pour supporter tout ça ?* Quelqu'un a pris ce que j'ai dit, et l'a posé sur l'étagère derrière la lampe : à présent, ce n'est plus qu'un œuf peint exposé devant les tranches des livres.

(La silhouette de mon frère est assise, pas très loin, sur un pouf isolé, dans un coin. Il ne bouge pas. Il a l'air sur le point de pleurer, son visage est livide. On va y arriver, on va y arriver. Pourquoi je lui promets toujours des choses impossibles ?)

Le livre d’Emmanuel Baumann

Emmanuel Baumann était né en Roumanie en février 1901. Aucun document n'indique quand il arrive en France. Il avait une entreprise d'appareils électriques. En juillet 1941, Raoul H. écrit, *Race juive, Nationalité roumaine, Marié – père de deux enfants.* Il habitait, dans le onzième arrondissement, *un local en rez-de-chaussée sur cour intérieure, constituant à la fois logement et atelier en peu de pièces*. À l'adresse indiquée, un immeuble haussmannien se dresse aujourd'hui, avec au rez-de-chaussée une échoppe de bibelots, d'argenterie.

Un jour, il doit apposer l'affiche jaune sur la porte : *entreprise juive*. Maintenant, quand les gens entrent, ils regardent l'affiche, certains hochent la tête, d'autres n'ont aucune expression. Certaines personnes de l'immeuble voudraient que les enfants Baumann aillent jouer ailleurs, mais où est-ce qu'ils pourraient aller jouer ?

Un autre jour, arrive Raoul H. Il ne ressemble pas aux clients, il est en costume sombre, il marche la tête haute, l'air grave. En entrant dans la cour intérieure, il a regardé à droite, à gauche, vers le haut de l'immeuble, comme s'il cherchait à inspecter toutes les fenêtres, comme s'il cherchait à scruter l'ombre jusqu'où le soleil tourne, là-haut. Les enfants d'Emmanuel Baumann, qui couraient, débouchent devant lui, s'arrêtent en haletant, le regardent, en silence. Raoul H. ne bouge pas, il les toise, puis on entend leurs noms, criés par une voix inquiète, et leur mère apparaît sur le seuil, ils se sont aussitôt effacés derrière elle, se sont glissés dans l'appartement. Elle s'essuie les mains à son tablier, regarde Raoul H. Il enlève son chapeau, se présente, décline sa mission, son titre, il demande Emmanuel Baumann, elle se tourne sans rien dire vers la grande vitre qui donne sur l'atelier. À l'intérieur, Emmanuel Baumann s'est levé, le visage tendu.

Raoul H. entre dans l'atelier, s'approche d'Emmanuel Baumann. De dehors, à travers la fenêtre, on ne voit que le visage d'Emmanuel Baumann et le dos de Raoul H., qui doit parler. Emmanuel Baumann ne bouge pas, il écoute, légèrement penché, avec une expression soucieuse. Puis Raoul H. s'avance, passe dans les autres pièces, Emmanuel Baumann le suit. Raoul H. pénètre dans la chambre : les deux enfants sont là, en silence, leur mère a posé ses mains sur leurs épaules.

Dans l'inventaire de juillet 1941, Raoul H. relève *divers postes TSF en cours de montage, dont les pièces détachées représentent environ 30 000 francs*. Emmanuel Baumann déclare avoir perdu beaucoup de marchandises évacuées lors de l'exode de 1940. C'est tout.

Dans le dossier, il n'y a rien d'autre que ce rapport d'une page, jusqu'à décembre 1941, date à laquelle Raoul H. indique qu'Emmanuel Baumann *est depuis quelque temps déjà retenu au Camp de concentration de Drancy*. Il précise qu'un essai de faire marcher sa Maison sans lui, grâce à un apprenti qu'il avait auparavant, s'est révélé infructueux et que tout travail est actuellement suspendu, que Madame Baumann a même quitté avec ses deux enfants l'appartement qui leur servait à la fois de domicile et d'atelier, et qu'elle s'est réfugiée chez ses parents. Dans l'affaire Emmanuel Baumann, Raoul H. ne sait presque rien, n'a rien vu, rapporte ce qu'on raconte.

Dans le onzième arrondissement où vit Emmanuel Baumann, a eu lieu une rafle fin août *(opération menée en représailles à l'agitation communiste)*, plus de quatre mille Juifs du quartier sont arrêtés chez eux ou en pleine rue, Drancy ouvre. C'est peut-être à ce moment-là qu'Emmanuel Baumann est arrêté.

À cette époque, Emmanuel Baumann continue à travailler dans une boutique qui ne lui appartient plus – mais dont il n'a pas été expulsé, puisque c'est son logement. Il n'a plus le droit d'avoir aucun contact avec quelque client que ce soit, ne travaille plus que pour des grossistes, à des prix au rabais. Ce jour d'août, au matin, il sort, pour une livraison peut-être, les heures passent, il ne revient pas. Un peu plus tard, une voisine rentre en courant, les policiers ont bouclé le quartier depuis ce matin, ils contrôlent les gens dans la rue, arrêtent les Juifs – les hommes – et les emmènent. Madame Baumann confie ses enfants à la voisine, et sort, va d'une boutique à l'autre. Personne n'est sûr d'avoir vu Emmanuel, on parle du gymnase Japy.

Devant le gymnase, il y a une foule massée, mais les policiers n'autorisent personne à approcher. On lui dit simplement d'apporter si elle veut des affaires chaudes, de quoi manger, elle revient avec une couverture, des pulls et tout ce qu'elle a pu prendre comme nourriture, elle se fraie un passage vers les policiers, insiste, ils la repoussent, elle a le droit de laisser ce qu'elle a apporté. Elle croit l'apercevoir, mais elle doit repartir. Plus tard, elle entend le mot Drancy. Drancy ne veut rien dire.

> *Où on nous envoie, on ne le sait pas exactement. On parle beaucoup de nous envoyer dans des fermes : en France ou à l'étranger, on ne le sait pas encore. Le premier tri des aptes au travail sera effectué là où on nous envoie.*

La cour étroite de l'immeuble est vide à présent, l'hiver le soleil suit une courte ellipse au-dessus. Plus aucun bruit, la porte de l'atelier est fermée. Juste l'image d'un homme sévère, raide, en costume sombre, sur le seuil d'une cour vide.

La seule image que j'avais de Drancy était le souvenir d'un pavillon de banlieue où habitait un camarade de classe, au collège, chez qui j'avais passé une nuit. Il me proposait souvent de venir, racontait les trajets en voiture tôt le matin quand son père l'emmenait et le gardait dans son labo avant que les cours commencent. Drancy : des trajets en voiture à l'aube, et puis l'ennui, à attendre que le collège ouvre. Et finalement, j'étais venu passer un week-end : une rue bordée de pavillons calmes, derrière les hautes haies de leur propriété. À l'intérieur, le panier de basket dans la cour minuscule, les grandes pièces pleines de meubles, la cage d'escalier très haute, sombre, et les murs – l'ennui. Nous n'étions pas sortis, puisque les alentours n'étaient *pas fréquentables*, disait sa mère. Il n'y avait rien à faire : Drancy.

Peut-être que la tension va s'apaiser, elle finit toujours par s'apaiser.

Le jour où je suis retourné à Drancy, l'après-midi était déjà bien avancé, et le ciel bas. En arrivant près de la cité de la Muette, l'image était celle des livres. L'énorme sculpture et le wagon-témoin, fermé. Derrière, le fer à cheval des bâtiments, trois barres d'immeubles de cinq étages en U. Les bâtiments en mauvais état, le béton écorché de ferrures, un homme se penchait à une fenêtre.

Les gens se penchent aux fenêtres : ils sont nombreux, ils ont l'air de guetter, ils attendent, ils ont faim, on entend des clameurs. En bas, des grappes d'hommes déambulent, ils errent, comme indéfiniment. Des enfants s'interpellent, se poursuivent, se chamaillent. Plus loin, aux lavabos alignés, des femmes lavent du linge, certaines discutent. La saleté, la brume noire du mâchefer remué flotte dans l'air. On entend un enfant qui pleure.

Je pousse une porte, la cage d'escalier étroite donne sur l'extérieur par des baies verticales pratiquées dans le mur, la lumière entre avec le froid, je ressors. Deux jeunes débouchent d'une cage d'escalier, poussent la porte, passent près de moi en parlant fort, le pas rapide, et puis leurs voix s'estompent, ils s'effacent. Un peu plus loin, une porte indique, *Conservatoire du camp de Drancy*. Vitres closes, étoilées, trous comblés par des planches. Je me penche à la porte vitrée pour voir à l'intérieur, mais tout y est opaque.

Au moment de l'arrivée des premiers internés en août 1941, les bâtiments ne sont pas achevés, les premières semaines ils doivent dormir sur le béton à nu – les Allemands ont refusé de prendre en charge les frais de fonctionnement. À l'automne, la famine et une épidémie de dysenterie déciment le camp. Emmanuel Baumann est là, parmi les autres, il a maigri : une silhouette désolée au milieu de la foule bruyante. Peut-être que sa femme est venue, a essayé de le voir, s'est approchée autant qu'elle le pouvait, mais un gendarme tout à coup était là, devant elle, avant qu'elle puisse rejoindre les barbelés, et l'avait prise par le bras, Elle veut se retrouver de l'autre côté ? Il la secoue, puis lâche le bras d'un coup. Alors elle s'éloigne, butant sur les mottes de terre, le souffle court, elle dérive à travers les terrains vagues de Drancy. Emmanuel Baumann est seul à présent, une silhouette fantomatique dans les bruits de Drancy, dans le tumulte de Drancy, coupé de tout espoir, de toute attente.

Au milieu est le square terreux, sale, jonché de détritus, entouré par une pauvre grille, dont le portail a été arraché. Quatre mille personnes s'entassent là : quatre mille personnes ont faim, errent, attendent, parlent, attendent, pleurent, crient, ont faim, attendent. Certains se suicident en se défenestrant, leurs corps disparaissent aussitôt. Les autres trafiquent pour survivre. Quatre mille personnes attendent, ou prient. Quatre mille personnes ont peur.

> *Mon caractère a beaucoup changé. Je le regrette, mais je vous aime tous de plus en plus.*

Hiver 1941-1942, les réserves de charbon s'épuisent, le froid s'étend, qu'aggravent la mauvaise isolation des bâtiments, les grandes baies, l'absence de cloisons dans plusieurs blocs, et de planchers partout. C'est le règne du marché noir, favorisé par les gendarmes qui encadrent le camp, trafic de nourriture, de cigarettes, trafic sur le transport de courrier. Les gendarmes postent des indics dans chaque chambrée, surgissent dès qu'on les avertit, constatent le flagrant délit, et proposent une transaction.

La silhouette d'Emmanuel Baumann s'estompe, comme une fresque s'efface d'un mur. Un regard pâle me fixe. Je ne trouve pas ce que je cherche, qu'est-ce que je cherche ?

Les enfants internés à Drancy à partir de juillet 1942 ont un surnom pour la destination inconnue des convois, *Pitchipoï*. Je l'apprends en lisant les souvenirs de notre pédiatre, qu'il publie quand j'ai quinze ans. Interné en octobre 1942, il est libéré du camp un mois plus tard, grâce à son oncle qui connaît quelqu'un à l'Union générale des israélites de France, représentant les Juifs auprès de Vichy – et ce quelqu'un accepte de se faire payer pour une intervention. *(Pitchipoï était un lieu mystérieux où certains étaient déjà partis, mais dont personne ne semblait avoir de nouvelles.)* Ma mère accorde beaucoup d'importance à ce que nous lisions ce livre, nous en avons chacun un exemplaire. Je continue à aller voir le pédiatre longtemps après n'être plus en âge pour un pédiatre : dans la salle d'attente aux proportions minuscules, les jeux colorés, les jouets, les livres cartonnés au bord des coussins et des chaises basses en plastique, mon corps trop grand pour ce monde-là, replié sur une marche recouverte de moquette de couleur vive, à essayer de ne pas prendre trop d'espace, tout seul et mal à l'aise.

Drancy : ombres qui flottent sur le terre-plein, dans les cris des gendarmes, les bruits des pas, les souffles tièdes, corps entassés, ombres fantomatiques.

> *On m'amène vers l'est. Ne vous inquiétez pas, car on se reverra bientôt. J'espère que maman s'est tout à fait rétablie. La santé est excellente ainsi que mon moral.*

Je descends vers le quartier où habitait mon camarade de collège. De l'autre côté de l'avenue, tout change, des rues résidentielles, bordées de calme, de silence. Parmi les gros pavillons, je cherche le sien, longuement. Je finis par l'apercevoir, derrière des haies épaisses, un portail métallique dissuasif – façade opaque, fenêtres closes. Je ne sonne pas à la porte, je m'éloigne le plus vite possible.

J'ai longtemps rôdé sur le site internet du mémorial de Yad Vashem, sans oser y entrer le nom d'Emmanuel Baumann, j'inscrivais des noms d'anciens propriétaires de biens administrés par Raoul H. dont je savais qu'ils n'avaient pas été assassinés, puisqu'ils avaient réclamé leur bien à la Libération. Pas lui. La nuit, une haute silhouette maigre, menaçante, me sourit. Et puis un matin, tôt, son nom est là : Emmanuel Baumann, déporté de Drancy le 22 juin 1942, par le convoi n° 3, mort le 29 juillet à Auschwitz. Numéro de prisonnier : 40713.

De l'autre côté de la cour, la lumière tombe crue sur la façade de l'immeuble d'en face, qui la réverbère. Elle découpe sur le mur le profil sombre du toit de mon immeuble : dessous, dans l'ombre, il n'y a plus rien de distinct. Le sentiment de ne plus rien voir, d'être grisé, anesthésié, dans une sorte d'assoupissement. Puis la recherche panique d'un terrain stable où je pourrais me tenir – mais dans la peur de le trouver, bloqué, paralysé.

Des visages me regardent, je suis seul à les voir : ils sont loin de moi – pourtant tout près de moi – je voudrais les rejoindre, je voudrais me lever. Je reste assis.

En mai 1942, au moment de transmettre, comme la loi l'y oblige, le dossier d'Emmanuel Baumann, de nationalité roumaine, à un administrateur provisoire de nationalité roumaine, Raoul H. récapitule les faits à l'intention du Commissariat général aux questions juives. Il souligne qu'il n'a reçu pour son travail que *deux acomptes de mille (1 000) francs chacun*, et précise, *sans aucun remboursement pour mes frais de correspondance, secrétariat, téléphone, timbres, déplacements et pourboires divers notamment à l'occasion du transfert des marchandises. Indépendamment des honoraires auxquels j'ai droit, ces frais divers s'élèvent à environ six cent cinquante francs (650 fr) depuis le mois de juillet*. Il insiste pour que le nouvel administrateur provisoire prélève sur le compte d'Emmanuel Baumann de quoi le rembourser.

Le convoi n° 3 du 22 juin 1942 est le premier à partir de Drancy. Il fait place nette pour les internés de juillet, ceux de la rafle du Vel d'Hiv. Les déportés allaient à pied ou en bus du camp jusqu'à la gare du Bourget-Drancy. (Des corps anonymes, serrés les uns contre les autres, avancent dans les cris des gendarmes qui les mènent, les poussent, des corps tombent, se relèvent dans les cris, encombrés par leurs charges, leurs valises.)

Le 25 juin 1942, Raoul H. écrit au Commissariat général aux questions juives pour un nouveau calcul de sa rémunération. *Le chiffre des VENTES, en neuf mois, a été pour le dernier exercice (1940) de : 287.499,60. Il est donc permis de supposer que celui du second trimestre aurait pu être de : 95.833,20. Ce qui aurait fait pour douze mois normaux : 383.332,80. Chiffre qui doit servir de base au montant de la rémunération de l'administration provisoire.*

Le voyage en wagons à bestiaux vers Auschwitz durait trois jours.

Le 13 juillet, Raoul H. relance le Commissariat général aux questions juives. *J'ai l'honneur de vous accuser réception de votre lettre N° 2402 du 10 courant, et je pense qu'elle contient une erreur matérielle que je vous serais reconnaissant de bien vouloir dissiper, en ce qui concerne le montant mensuel de ma rémunération.* Ayant reformulé le calcul du mois précédent, il précise qu'il estime que le montant de sa rémunération mensuelle *doit être fixé à 1 500 francs et non pas à 1 250 francs.*

Le 29 juillet, Emmanuel Baumann meurt à Auschwitz.

Raoul H. réclame encore huit mille francs en mars 1943. Le dossier ne comporte pas de réponse, mais une nouvelle lettre de lui datée d'octobre. La vente des dernières marchandises a alors eu lieu, pour une somme de *neuf cent trente-sept (937) francs. Dans ces conditions tout l'actif de cette affaire est maintenant réalisé, et je pense que rien ne s'oppose plus au paiement de ma rémunération qui s'élève à huit mille (8 000) francs*, et il indique le numéro de son compte courant postal. En novembre, lui est versée une rémunération forfaitaire de cinq cents francs.

La dernière pièce du dossier est le reçu rempli de la main de madame Baumann en 1946, indiquant qu'elle a touché du Service des restitutions la somme de *trente-sept francs.* (Il n'y a dans le dossier aucune lettre de la main de madame Baumann.)

Le Service de contrôle des administrateurs provisoires était rue Greffulhe, dans le bâtiment même où était installée, auparavant, la Police aux questions juives. La rue étroite est presque vide, quelques personnes à la terrasse du café du coin, qui fait face au théâtre des Mathurins, puis la porte verte s'ouvre, quelqu'un sort, la tient à madame Baumann, elle entre : des gens traversent le large hall sombre, en contre-jour (aveuglée par la lumière blanche qui vient de la cour, au bout). Les gens descendent l'escalier, elle ne demande pas, s'approche de la cour, et lève les yeux vers la lumière qui tombe, puis elle sort un papier de sa poche qu'elle regarde un instant, le remet dans sa poche, revient vers l'escalier, monte lentement.

Silhouettes qui discutent entre les étages, et peut-être depuis les bureaux bruissement des machines à écrire. Des voix lancent des directives, des corps passent d'un bureau à l'autre, dans l'empressement. Madame Baumann monte au second. On lui a dit d'attendre, elle s'assoit au bout de la chaise, et attend. Un fonctionnaire vient la chercher avec beaucoup de componction, l'invite dans son bureau. Il dit des mots, il parle avec respect, il a l'air très conscient de la haute charge qui lui incombe, cela lui donne un air révérencieux et un peu lent. Elle a pris le stylo que le fonctionnaire lui offre. Pendant qu'il parle sans fin de sa voix doucereuse, qu'est-ce qu'il dit, qu'est-ce qu'il n'a pas fini de dire, elle signe le reçu, *Trente-sept francs*. Il la raccompagne à la porte.

Dans la salle d'audience, l'homme est debout, à présent. Il y a un long silence, où tous regardent dans sa direction. La voix du juge dit, *Qu'avez-vous à répondre ?* L'écho de la voix se perd dans le fond de la salle. L'homme regarde la salle avec aplomb (le silence est total), *En quoi les faits relatés établissent-ils une faute quelconque de ma part ?* Morgue de son regard, *Je ne suis quand même pas responsable de ce qui se passait dans ces camps de transit, dans ces convois, ni dans leurs lieux de destination, à l'autre bout de l'Europe*. Il sourit (le silence paraît grandir), *Cela ne me concerne en rien*. Puis il finit par dire, *Je n'ai fait que mon devoir*, avant de se taire un temps, puis il ajoute, *Je n'ai fait qu'appliquer la loi*. Il se rassoit.

Le livre de Ludwig Ansbacher

Ludwig Ansbacher était né en Autriche en 1904. La date de son arrivée en France ne figure nulle part. Sur le premier rapport de Raoul H. le concernant, figure seulement l'information selon laquelle il s'était engagé volontaire en décembre 1939, et avait combattu en Allemagne. À partir de janvier 1940, il est mobilisé sur le front est saharien. (Le sable qui s'infiltre partout, qui tourbillonne et qui finit par recouvrir le paysage d'une fine pellicule mouvante, le paysage n'est plus qu'une forme en décomposition, en recomposition, une forme floue, qui se transforme. Et puis il y a le souffle du sable, le sifflement du sable, qui devient un grondement, la nuit. Le sable éclaire la nuit, la rend plus lumineuse, plus blanche. C'est aux marges du désert, le ciel s'estompe dans le halo pâle qui noie l'horizon, puis s'évanouit. Les heures s'écoulent lentement, et en silence, quand monte au loin une tempête, derrière les dunes, Ludwig Ansbacher attend.)

Il rentre à Paris à la fin de l'année 1940. Il tenait une *fabrique de Bijouterie de fantaisie*, rue Beaumarchais. Raoul H. devient l'administrateur provisoire de son fonds de commerce en juillet 1941. Il parle, dans son rapport, d'un appartement au premier étage, servant de logement, dans lequel deux pièces sont affectées à l'usage commercial (un bureau et un magasin). Ludwig Ansbacher ne vend ni aux particuliers, ni aux boutiquiers, mais seulement aux grossistes et aux grands magasins. *(Le personnel n'a donc aucun contact direct avec le public.)* Ludwig Ansbacher travaille chez lui, avec sa femme Hélène et sa belle-sœur, toutes deux juives autrichiennes, et fait travailler à sa façon, au-dehors, quelques artisans. *Il n'est donc possible d'éliminer les éléments juifs qu'en fermant complètement la Maison.*

(Devant le tribunal de guerre, une gardienne du camp de Bergen-Belsen avait déclaré que, tel jour, elle avait eu affaire à *seize éléments*.)

D'après Raoul H., l'affaire est *très viable. (1 lot de colliers désassortis, 1 lot de bracelets démodés et divers apprêts, 16 bracelets tresses et divers échantillons broches, 1 lot de broches dorées similis, 1 lot de pierres taillées et de sertissures non assorties, 1 lot vieux cuivre au poids et 36 broches collerettes, 2 perles.)* Mais il fait remarquer que, M. Ansbacher ne voulant pas chercher lui-même un acquéreur pour son fonds *afin de ménager son avenir*, il semble nécessaire de procéder à une vente d'office. (Une photo de Raoul H. le représente jeune homme sur une terrasse de gravillons devant une façade gigantesque, en bottes de chasse, gants blancs serrés dans une main. Quand il s'est avancé, les gravillons ont crissé sous ses pas. Il pose de trois quarts, sourit en coin, dominant le décor, bombe le torse, se cambre.)

Il hoche la tête. Apparemment, M. Ansbacher ne souhaite pas se plier aux conditions qu'on lui fixe pour lui faciliter les choses. *Tant pis*, dit-il, levant les mains, haussant les sourcils, pour signifier que lui n'y est pour rien. S'il ne sait pas ce qu'il veut, tant pis. Ludwig Ansbacher regarde Raoul H. parler – enfin *parler*, s'asseoir comme s'il était chez lui, invoquer la loi, prétendre prendre en compte son intérêt, *Trouver un acquéreur vous permettrait de vendre au meilleur prix possible*, puis menacer, mais en douceur, de cette voix qui prétend vous défendre, lever les mains, *Je ne pourrai plus rien pour vous alors*, la voix calme, la voix sûre, *vente d'office*, rappeler qu'il a la loi avec lui. Ludwig Ansbacher regarde Raoul H. sans rien dire. Il comprend très bien, voit très bien à quel genre d'homme il a affaire. La peur monte lentement dans le silence de Ludwig Ansbacher, mais il ne répond rien. Et Raoul H. le regarde, et sait que quelque chose résiste, Raoul H. se tend, il y a là quelque chose à mater.

Les deux jeunes enfants de Ludwig Ansbacher jouent derrière la porte. On a dû leur dire de ne pas faire de bruit, car ils parlent à voix basse. Les noms de ces enfants n'apparaissent nulle part dans le dossier. Dehors le soleil décline. Voix basses d'Hélène Ansbacher et de sa sœur dans la pièce voisine. Puis Raoul H. se lève, et Ludwig Ansbacher se lève à son tour, sans rien dire. À présent, les deux sœurs sont aussi dans la pièce. Elles regardent Raoul H. qui prend congé, s'éloigne.

Comme Ludwig Ansbacher habite l'appartement qui lui sert d'atelier, il ne peut pas en être expulsé. Raoul H. indique que, pour ne pas laisser sans travail les huit personnes qui ne vivent que de cette entreprise, il a sursis à la fermeture de l'atelier, en attendant de trouver un acquéreur. Dans ses courriers au Commissariat général aux questions juives, la tension monte cependant, au printemps 1942. En avril, Raoul H. précise que Monsieur Ansbacher ne lui a jamais proposé aucun successeur, et ne semble pas en avoir cherché, *désirant profiter aussi longtemps que possible de son affaire* qui lui permet de vivre avec sa femme et deux enfants mineurs, puisqu'il a pu prélever quarante-quatre mille francs dans l'exercice 1941. *Je vous laisse le soin d'apprécier si une telle situation peut se prolonger encore, ou s'il convient de procéder dès maintenant à la liquidation.* (*Désirant profiter, il a pu prélever, je vous laisse le soin, une telle situation*, assis chez lui, dans son bureau, où la lumière tamisée se diffuse sur les murs tendus de tissu, tapant à sa machine d'un rythme régulier, il compose ces rapports qui vont s'accumulant dans les bureaux du Commissariat général aux questions juives.)

Ludwig Ansbacher est assis dans son atelier, il se tait. Par la fenêtre, la rue grise de Paris. Puis il entend des pas feutrés dans la pièce, et tourne la tête, Hélène est près de lui, et le regarde. Ils se taisent un moment, elle a posé une main sur son épaule, peut-être. Par la fenêtre, la rue grise.

> *Maintenant, le tragique est devenu uniformément sombre, la tension nerveuse constante. Tout n'est que grisaille, et incessant souci, d'une monotonie affreuse, parce que c'est la monotonie de l'angoisse.*

Avril 1942 : rencontre de mes grands-parents lors d'une partie de bridge arrangée. Mon grand-père fait remarquer à ma grand-mère qu'elle ne joue pas très bien. Le soir, alors qu'elle rentre avec une amie, quelqu'un court après elles dans la rue. C'est lui. Ils restent tous les trois à discuter quelques minutes tout en marchant. La mère de mon grand-père, Henriette H., marche derrière, à quelques mètres. Le mois suivant, ils se fiancent. La rencontre officielle de leurs parents a lieu lors d'un dîner, chez Henriette et Raoul H.

Ce soir-là, Raoul H. est resté dans son bureau. Quand on sonne à la porte d'entrée, il lève la tête, mais ne bouge pas. Pas sourds, derrière la porte (Margoton est allée ouvrir), il replonge un moment dans le journal. Quelques instants plus tard, coups sourds à la porte de son bureau, qui s'ouvre – le visage d'Henriette dans l'entrebâillement chuchote, *Ils sont là*. Raoul H. répond d'un ton sec, *J'ai entendu*, puis la porte se referme hâtivement. Quelques instants plus tard, il replie le journal, se lève, et sort.

L'entrée sombre n'est éclairée que par la clarté rare d'une lampe sur pied. Ma grand-mère s'avance derrière ses deux parents. Mon grand-père est là, descendu de sa chambre, avec son long visage inexpressif et raide, incapable de dire quoi que ce soit qui excède *bonjour*. Raoul H. salue de son air habituel, glacial, se penche sur la main de la mère de sa future belle-fille, puis ouvre une porte, qui donne sur le salon. Dans la pièce sombre à la lumière tamisée, les fauteuils ternes, gris, en cercle, semblent déjà en discussion. Dans la salle à manger qu'on aperçoit derrière, une longue nappe blanche tombe de la table ovale, où sont posées des assiettes de porcelaine blanche, qui brillent.

Tout s'accélère, dans les mois qui suivent. En juin, Raoul H. signale qu'il a mis *à l'abri* la totalité des marchandises encore invendues et des approvisionnements de M. Ansbacher, dans une autre entreprise dont il est également l'administrateur provisoire. *L'inventaire* réalisé alors n'est pas signé par Ludwig Ansbacher, car il a refusé de s'y rendre. *(1 lot bijoux casques, clairons, au poids, 1 lot bracelets défraîchis, 1 lot broches similis défraîchies et désassorties, 1 lot échantillon broches, 1 lot broches « coq » tricolores, 1 lot broches tête cuivre démodées, au poids, 1 lot broches mat. plastique sport. Coureur à pied, 1 lot d'objet divers et de chatons similis, 1 lot perles dépareillées de cire, 1 lot d'estampés de cuivre dépareillés, diverses marchandises dépareillées.)*

Une lettre de l'avocat d'Hélène Ansbacher, adressée au Contrôleur des administrateurs en 1947, donne une idée des conditions dans lesquelles l'inventaire a été réalisé : *Ce monsieur s'est emparé de toutes les marchandises se trouvant en magasin (sans inventaire et même avec le meuble qui les contenait). Ce n'est que dix jours plus tard que Monsieur Ansbacher a été invité à venir assister à « l'inventaire » qui a eu lieu chez un tiers. Monsieur Ansbacher s'y était refusé.*

Raoul H. a le droit avec lui et la loi avec lui, et il ne fait que son travail, avec rigueur et diligence, ne cherche que le bien de ses administrés, qui lui compliquent pourtant la tâche – il remplit le rapport, le glisse dans l'enveloppe, lèche l'enveloppe lentement, la ferme proprement, minutieusement, l'adresse au Commissariat général aux questions juives, la timbre, puis se lève, sonne Margoton pour qu'elle la poste, *Bien Monsieur*.

Dans l'atelier désormais vide et inutile, interdit de travail, Ludwig Ansbacher ne bouge plus. Il n'a pas allumé la lumière. Hélène Ansbacher entre, s'approche de lui. Il dit, *Il va falloir faire quelque chose*, sa voix est sourde, comme entravée.

Depuis le 7 juin, on reconnaît dans la rue les Juifs à l'étoile jaune qu'ils portent. Ils ne montent plus dans les mêmes voitures des bus et des métros. On parle de rafles à venir.

> *Au métro à l'École Militaire, le contrôleur m'a dit : « Dernière voiture. » Alors, c'était vrai le bruit qui avait couru hier.*

Le 4 juillet, mes grands-parents se marient religieusement. Dans les salons où les H. reçoivent, les gens dansent. Raoul H. est assis à une table nappée de blanc, répond à peine aux gens qui viennent le féliciter, il regarde de loin la fête qu'il a *payée*. Non loin de là, mes grands-parents dansent, dans l'atmosphère de gaieté convenue qui règne.

Dans un courrier de décembre 1942, Raoul H. signale incidemment que Ludwig Ansbacher a quitté son appartement *dans le courant de juillet* et *n'a pas laissé d'adresse*.

La vente du fonds de commerce a eu lieu en novembre 1942. Les acquéreurs, propriétaires de la Société Maurice N., ont fait acte de candidature par lettre, certifiant n'être pas de *race juive*, leur femme non plus, priant de trouver ci-joint leur certificat de baptême. Dans l'acte de vente, le fonds de commerce de *bijouterie de fantaisie* est devenu un fonds de commerce de *bijoux en faux*. Quelques mois plus tard, la Société Maurice N. revend le fonds de commerce quatre fois plus cher. C'est écrit en toutes lettres dans un dossier classé aux Archives de la porte des Lilas. Autour de moi, de vieux messieurs généalogistes clopinent vers le guichet, et repartent avec de gros cartons d'État civil pendus à une ficelle. Sur quelques feuillets jaunis que j'ai extraits d'un carton noir, est imprimé le jugement de 1945 qui prononce la nullité de la vente, la restitution du fonds de commerce et de l'appartement à Madame Ansbacher, et condamne la Société Maurice N. ainsi que les acquéreurs suivants au paiement de dommages et intérêts, en vertu d'une loi de 1941 interdisant la revente avant trois ans. Raoul H., simplement mentionné, n'est pas condamné. Les seuls coupables désignés sont les *spéculateurs*, qui ont enfreint les lois de Vichy. 1945 : les lois de Vichy font référence pour condamner les profiteurs.

Après la guerre, les courriers ne s'adressent plus qu'à Hélène Ansbacher, n'émanent plus que d'elle, ou ne mentionnent qu'elle. Hélène Ansbacher écrit sur un papier à en-tête *Société Louis Ansbacher*, et formule ses lettres de telle façon qu'on puisse penser qu'ils les écrivent tous deux, jamais elle ne mentionne ce qu'est devenu son mari. Peut-être craint-elle de n'avoir pas droit aux réparations si son mari n'est plus là pour les toucher. Les formulations des courriers officiels du Service des restitutions semblent montrer que cette disparition n'est pas ignorée, mais elle n'est prise en compte dans aucune procédure, et n'est jamais considérée comme une circonstance aggravante dans les décisions prises à l'encontre des profiteurs.

D'après le mémorial de Yad Vashem, Ludwig Ansbacher a été déporté de Pithiviers au matin du 17 juillet 1942. Il est mort à Auschwitz le 26 août. Les archives nazies indiquent, comme cause du décès, *Pneumonie*.

Parfois, un vrombissement vient d'une porte fermée. Je pousse cette porte : le vrombissement va dans l'aigu, devient strident, je vois une silhouette dans la lumière pâle, bleutée, dont je m'approche – mais c'est moi, cette silhouette incertaine, ce visage, deux yeux vagues, cernés. Le vacarme continue : c'est donc moi, ce visage fissuré ? Dans un rêve, j'interroge ma grand-mère. Quels meubles de son salon viennent de ses beaux-parents ? Celui-ci ? Celui-là ? Je les désigne. Il y a de la rage dans ma voix, je n'ose plus faire un geste. Et ils les tenaient d'où, ces meubles ? Est-ce qu'elle est sûre qu'ils venaient de la famille ? Elle ne sait pas répondre, elle n'en sait rien, mes questions l'effraient.

Il y a un livre consacré au convoi n° 6 dans lequel est parti de Pithiviers Ludwig Ansbacher, au matin du 17 juillet 1942. C'était le lendemain du début de la rafle du Vel d'Hiv : on vidait les camps remplis depuis l'été précédent pour faire de la place aux nouveaux internés.

L'auteure a recueilli les témoignages des enfants, des petits-enfants, rassemblé des photographies, des documents témoignant pour ceux qui sont morts, et de ces bribes, elle a fait un livre. Dans les dernières pages est insérée une copie de la liste des déportés, où figure Ludwig Ansbacher, *Provenance Dijon*. Mais il n'y pas plus de détails sur lui.

La petite-fille d'un déporté a donné une photographie de son grand-père, d'avant la guerre. Il porte un chapeau, sourit, la photographie est prise en très légère contre-plongée. Chaque fois que je pense à Ludwig Ansbacher à présent, c'est ce visage que je vois.

Mais pourquoi Dijon ? J'écris à l'auteure une lettre entravée par la honte : elle me rappelle aussitôt. Elle n'a aucun renseignement sur Ludwig Ansbacher, ne connaît aucun membre de sa famille. D'après elle, il faut chercher dans le fichier d'entrée à Pithiviers. Mais il n'a dû passer que peu de temps à Pithiviers, un mois au maximum, puisqu'en juin il était à Paris, c'est Dijon qui m'intrigue. Elle pense qu'on trouvera des choses au Mémorial de la Shoah, me donne rendez-vous, là-bas. Le lendemain, elle m'attend derrière les grilles, je la reconnais tout de suite, sans l'avoir jamais vue, à son regard qui cherche, il y a de l'inquiétude, de la détermination dans son sourire. Elle dit, *Je vous attends à l'intérieur*, mon sac défile sur le tapis du cube à rayons X. Maintenant se dressent de profil les parois blanches gravées d'inscriptions denses, sur des mètres, *Le mur des noms*, dit-elle. *Ceux que vous cherchez y sont c'est sûr*, et je les trouve en effet, Emmanuel Baumann et Ludwig Ansbacher, avec les dates.

(Maintenant, dans la grande salle du tribunal, son nom à elle résonne : les parties civiles l'ont citée comme témoin, le juge l'appelle à la barre. Elle entre, s'arrête à la barre, l'air effacé, prudent, et en même temps déterminé, elle décline son nom. L'homme, dans le box des accusés, la regarde, dit à mi-voix, et d'un air de dégoût, *Une étrangère*. Mais le juge se tourne vers lui, *Vous n'avez pas la parole*, sèchement. À présent, elle répond aux questions qui lui sont posées.)

L'ascenseur monte lentement à travers les étages transparents. Nous glissons nos affaires dans les petits placards. Dans la salle de lecture, quelques personnes assises devant des cartons entrouverts travaillent en silence. Elle s'est assise dans le réduit sombre devant l'écran : dans le lecteur de microfilms, les fiches du camp de Pithiviers défilent lentement, avec un grondement sourd, *Motif d'internement : En surnombre dans l'économie nationale*. Mais celle de Ludwig Ansbacher n'y est pas. Et s'il avait passé trop peu de temps dans le camp – transféré directement de Dijon au convoi ? Mais d'après elle, tous étaient enregistrés. Lorsque je consulte *Le Mémorial de la Déportation*, je trouve pour Ludwig Ansbacher les mêmes données que je connais déjà sauf une, *Lieu d'arrestation : Ligne de démarcation*.

Ce devait être début juillet, quand l'étau se resserre. Où sont Hélène Ansbacher et sa sœur, où sont les deux enfants ? Dans son courrier de décembre, Raoul H. n'en parle pas, ne mentionne pas s'ils ont quitté l'appartement. Peut-être se sont-ils réfugiés ailleurs, peut-être qu'ils sont encore à Paris. Ludwig Ansbacher est parti le premier, ce sont les hommes qu'on arrête, il est urgent qu'il disparaisse, il les fera venir. Peut-être qu'il a prévu la fuite depuis plusieurs semaines, qu'il s'est fait faire une fausse pièce d'identité, un de ses amis lui a dit à qui s'adresser. On lui a dit qu'il faut payer, il paie. Il partira en train. À Dijon, il sait dans quel hôtel descendre pour qu'on le mette en relation avec un passeur qui lui fera traverser la ligne un peu au-dessus de Chalon, beaucoup passent dans ce coin. On lui a dit que c'était fiable. On lui a dit qu'on connaissait du monde qui l'avait fait l'année dernière, l'année dernière on passait bien la ligne. Mais ils sont de plus en plus nombreux à vouloir passer. Le jour de son départ, il va voir ses enfants, sa femme, sa sœur, dans l'appartement où ils sont réfugiés, en attendant de partir aussi. Ils ont tellement peu de temps pour se dire ce qu'il faut, qu'est-ce qu'on peut se dire en si peu de temps, puis Ludwig Ansbacher part.

À la gare de Lyon, dans le compartiment plein, il y a des familles, des enfants, il s'assoit. Il regarde par la fenêtre les personnes qui se massent sur les quais, qui montent dans les trains. Une sirène, des cris, mains qui s'agitent, enfant juché sur des épaules d'adulte. Ces bribes d'autres choses que ce à quoi on l'autorise, que ce à quoi on le condamne. Le train s'ébranle, prend de la vitesse, et Ludwig Ansbacher perd pied, plus rien à quoi se raccrocher, la lumière de l'été pénètre dans le wagon, faubourgs se déchirant sur les terrains vagues, baraques éparpillées au bord des voies. Ludwig Ansbacher voudrait fermer les yeux, mais comment faire, froissements d'un journal à côté de lui, il essaie de respirer, mais comment faire.

À un moment, voix d'homme forte à l'entrée du compartiment, comme une déferlante d'angoisse, *Contrôle des billets*. L'uniforme, la casquette, le bruit du poinçon, *Merci*, il fait une chaleur humide, *Merci*, une sensation de colle sur le front, *C'est bon*, le contrôleur salue, passe d'une personne à l'autre, *C'est bon*. Maintenant le contrôleur est près de lui, il se tourne vers lui, il tend la main, prend le billet, le regarde, un court instant, *C'est bon*, lui rend. Puis se tourne, passe, s'éloigne vers le fond du wagon. Le train prend de la vitesse, de plus en plus. Les rails résonnent sourdement.

Dans la boulangerie où nous achetons des sandwiches, elle prend la même chose que moi, puis nous nous asseyons à la terrasse d'un café de la rue de Rivoli, elle parle peu, elle parle doucement. À présent, le silence est devant moi comme un bloc, le serveur nous dit qu'on ne peut pas manger ici les sandwiches achetés à l'extérieur, il hoche la tête : c'est impossible. Nous buvons nos cafés sans manger. Ses gestes à elle sont lents et mesurés, elle parle d'un autre livre qu'elle prépare, du temps passé à recueillir les témoignages, les mettre en forme, les faire relire, les compléter de ce que les gens veulent ajouter. À un moment, elle me demande brusquement, d'une voix discrète et sûre, *Vous écrirez un témoignage pour Ludwig Ansbacher ?* Je ne sais pas, il faudrait que les descendants soient d'accord. Dehors, l'après-midi avance, les gens se pressent avec leurs sacs remplis de courses. Elle dit, *Alors c'est d'accord*, puis elle doit retourner au Mémorial pour recueillir des fiches, retrouver d'autres traces encore, et je la laisse devant la grille.

Le décompte fourni par l'avocat d'Hélène Ansbacher en 1947 indique qu'au total les sommes perçues par Monsieur H. au cours de sa gestion ont été les suivantes :

Espèces portées en comptabilité	*26.217, -*
Retrait banque CIF	*31.830, -*
Chèques postaux	*1.736, -*
Versements mensuels hors comptabilité	*30.000, -*
Versement en juillet 1942 (note)	*55.467, 70*
Total	*145.250, 70*

Comptes annotés dans la marge par le Service de contrôle des administrateurs provisoires : en face du retrait banque figure *non encore justifié*, en face des versements mensuels *non justifié*. Le dernier paiement de cinquante-cinq mille francs (sans doute dans les mêmes jours que la fuite de Ludwig Ansbacher) est souligné d'un trait de crayon, et dans la marge, *sans valeur.*

Pourquoi Raoul H. attend-il décembre pour signaler que Ludwig Ansbacher a quitté son domicile *pour une destination inconnue* ? Est-ce qu'il s'est fait payer son long silence ?

Sa posture droite, hautaine, morale, couvant l'indifférence, mais calculant son intérêt, tirant parti, fermant les yeux, comptant. Disant seulement peut-être, *Je ne veux rien savoir, débrouillez-vous.*

Arrivé à Dijon, Ludwig Ansbacher descend en gare rapidement, se rend à l'hôtel qu'on lui a indiqué, une pension de famille dans une rue isolée, l'entrée sombre, ce silence, l'angoisse en franchissant le seuil, un tintement de cloche quand on passe la porte. Au guichet de l'accueil, personne, puis un homme surgit d'une pièce obscure derrière le guichet, le regarde un instant, lui demande ce qu'il veut. Quelqu'un descend au même moment, Ludwig Ansbacher se tait, la silhouette passe lentement, le regarde sans rien dire, puis sort, la porte se referme, et le silence revient. Il arrive de Paris, quelqu'un doit avoir prévenu. L'homme lui demande son nom, il dit celui qui est sur les papiers. L'autre dit, *Oui,* qu'il sait, il l'invite à passer dans une pièce à côté. C'est une arrière-cuisine, une table deux chaises, l'horloge au-dessus de l'évier où attendent des verres. L'homme ferme la porte, puis dit que ça tombe mal, que c'est plus compliqué maintenant. Il baisse les yeux, ne regarde pas Ludwig Ansbacher. Alors qu'il y a plus de risques, tout le monde veut passer à présent, c'est extrêmement difficile. Il hoche la tête, s'essuie les mains nerveusement, il parle sans jamais regarder Ludwig Ansbacher. Puis, après un silence, très vite, l'homme demande s'il a de quoi payer – il a de quoi payer. Et sans le regarder, l'homme demande un acompte pour la chambre – il sort des billets. L'homme les prend, dit qu'il va voir, la chambre est au premier étage. Ils sortent du réduit, l'homme prend la clé au tableau, la lui tend. Dans sa chambre, Ludwig Ansbacher s'assoit sur le lit. Quand il descend pour manger, ce soir-là, il croise des silhouettes qui marchent vite. La peur omniprésente, maintenant.

Rumeurs. On raconte que les passeurs sacrifient des groupes pour que les autorités continuent à fermer les yeux, les autorités ferment de moins en moins les yeux. La Police aux questions juives fait des contrôles réguliers aux abords de la ligne. Chaque semaine, des fourgons pleins de ceux qui ont essayé de passer remontent vers Dijon. Certains se lancent seuls, se perdent, sont arrêtés dans la campagne, parfois déjà en zone libre, des patrouilles allemandes sont postées à plusieurs kilomètres de la ligne en zone libre, mais qui proteste ?, personne ne proteste. La peur omniprésente – à présent il mange seul dans sa chambre, la peur ne le lâchera plus, la conscience d'être seul.

Un jour, l'homme lui dit que c'est pour dans trois jours, vers Montchanin. Il lui dit où sera le rendez-vous, ce sera la nuit, il faut payer d'avance la moitié. C'est cher, on lui avait dit que c'était moins cher. C'est le prix, il paie. Il faut donner une photo d'identité, c'était prévu. Le jour même, une camionnette d'épicier est là, il monte à l'arrière. À l'intérieur, il y a déjà une femme et deux enfants, un couple de personnes âgées, deux autres hommes isolés. Les autres lui jettent un regard rapide, puis tournent la tête, lui font une place d'un côté, les enfants le fixent, mutiques, yeux grands ouverts. Il pose sa valise entre ses jambes. (Des enfants, des personnes âgées, ce n'était pas prévu.) Dans la camionnette qui roule à présent, les regards s'évitent, têtes qui bringuebalent au hasard des cahots de la route, l'angoisse sur les visages. Il ferme les yeux, il essaie de fermer les yeux.

La camionnette s'est arrêtée. Quand ils sortent, c'est une rue isolée, d'un côté la campagne, et une maison de l'autre côté. On leur dit de s'asseoir dans la cuisine, autour de la table couverte d'une toile cirée. Quelqu'un sert un café, il n'y touche pas. Le type de la camionnette s'est assis avec eux, il regarde sa montre. Il faut payer la moitié qui reste, le type lui donne une carte de travailleur frontalier. Photo qu'il a fournie, mal agrafée, tampon grossier, il la met dans sa poche. Il serre la poignée de sa valise (quelques vêtements, quelques photos, une trousse de toilette, de quoi tenir les premiers temps). *Travailleur frontalier*, il essaie de ne pas penser.

Le type regarde sa montre, ouvre la porte sur le noir, *C'est bon*. Des cris chuchotés – traverser la rue, attendre à l'entrée du jardin de la maison qu'il leur montre. Ils sortent en file indienne, se glissent dans la nuit, se suivent en courant, avancent vers où le type montre qu'il faut aller. Ils sont dans le jardin. À l'autre bout, le terrain est en pente, il donne sur un petit bois. Ils y entrent. Le type dit de se baisser, ou de se lever, puis il gueule tout bas d'avancer, puis tout à coup il gueule, *Stop*, tout bas, et tout le monde s'arrête. Et Ludwig Ansbacher essaie de ne pas penser, d'autres l'ont fait. Au bout du bois, il y a un champ, avec des haies, qu'ils suivent. Le type crie tout bas, toujours, *Allez-y*, puis *Plus vite*, puis *Stop*, un chemin de terre sinue à travers le champ, à découvert. Ludwig Ansbacher court.

Puis il n'entend plus rien de clair, des bruits confus. À un moment, il y a des cris, des faisceaux de lumière. La peur qui le tenaille, mais où aller. Et puis des bruits de pas, des gens qui courent, mais dans quelle direction courir, il n'entend plus le type. Des silhouettes filent en diagonale depuis le chemin vers des buissons, on le bouscule, il tombe. Il se relève, il court, il est sorti du chemin, se dirige vers un bouquet d'arbres. Il essaie de ne pas dépasser des herbes. Il voit des lumières, qui balaient le chemin, cris des enfants sur le chemin, cris de la femme.

Les voix qui hurlent sont françaises. Il se tourne de l'autre côté du bouquet d'arbres. S'il ne bouge pas, peut-être qu'on ne le verra pas, et qu'à l'aube, peut-être, il pourra repartir, suivre le chemin à distance en longeant les haies, passer de l'autre côté, gagner une gare, trouver un train, plus loin, filer plus loin, où il fera venir Hélène et les enfants, il n'entend que son propre souffle. Les faisceaux derrière lui, il les voit au dernier moment, il sent presque aussitôt une douleur, aiguë, à l'épaule, et la terre à nouveau, dure, humide. Un magma de cris, d'insultes, puis tout s'éteint.

Il est emmené à Dijon. (L'archiviste départemental n'a pas retrouvé sa trace dans les registres d'écrou.) Deux jours plus tard, il part pour Pithiviers. Il n'y restera pas longtemps, il est déporté par le convoi n° 6 qui quitte la France le 17 juillet 1942 à 6 h 15. Sur les neuf cent vingt-huit personnes qui partent, seuls quatre-vingts reviendront.

En novembre 1945, une lettre est adressée par Raoul H. à Madame Ansbacher, qui conteste l'inventaire et la vente : il y précise qu'une copie authentique de l'inventaire figure dans l'acte de vente à la Société Maurice N., établi par *Maître D., Notaire,* le 24 novembre 1942, *acte que vous devez reconnaître puisque vous avez dû en demander l'annulation*. Il n'a jamais eu d'argent liquide lui appartenant. Toutes les recettes et dépenses ont été passées soit par les deux comptes ci-dessus, soit par *Maître D., Notaire*. Puis il lui confirme que les honoraires auxquels il a droit conformément au décret du 2 février 1945 sont plus élevés que ceux qu'il a perçus. Cela tient surtout à ce qu'il a dû verser, contraint et forcé, à une Caisse allemande le solde de son compte chez *Maître D., Notaire,* avant d'avoir reçu du

Commissariat général l'autorisation de prélever le complément qui lui était dû. Il conclut donc, *Vous restez donc me devoir 9.034 fr, somme dont je vous serais reconnaissant de me couvrir par un très prochain courrier*.

En septembre 1947, Raoul H. est convoqué par le Service de contrôle des administrateurs provisoires. Une lettre manuscrite de la main d'Henriette H., envoyée du château de Beauvoir répond à la convocation. En réponse à la lettre de Monsieur le Contrôleur à propos de l'affaire Ansbacher, Henriette H. se doit de l'informer que son mari est absent de Paris pour quelques jours encore ; sa convocation, qu'elle s'est permise d'ouvrir, n'a donc pu toucher Monsieur H., qu'il voudra bien excuser de ne pouvoir se rendre à son rendez-vous. *Il passera à Paris dans le courant de la semaine prochaine et ne manquera pas d'aller vous voir.* Elle le prie de bien vouloir agréer, Monsieur le Contrôleur, ses salutations distinguées.

(*Se rendre à votre rendez-vous, il passera à Paris, ne manquera pas d'aller vous voir*, le sens de l'élégance, la maîtrise de soi, le style des gens du monde. Refuser *l'affaire H.*, dire *l'affaire Ansbacher*.)

La dernière pièce du dossier est une lettre de Raoul H., de 1948 :

Monsieur le Contrôleur,

Comme suite à nos précédents entretiens, je vous adresse un chèque de DOUZE MILLE (12.000) francs au nom de Madame Ansbacher mais il est bien entendu que je n'entends nullement reconnaître devoir cette somme.

J'estime au contraire avoir toujours rempli dans la gestion de cette affaire mon devoir entier, comme dans toutes les autres dont j'ai été chargé, et que rien ne justifie une transaction quelconque.

J'ai même maintenu Monsieur Ansbacher à la tête de son entreprise pendant un temps fort long qui m'a valu des observations du Commissariat général aux questions juives, et m'a fait courir des risques dont j'ai été menacé par les autorités d'occupation.

Il ne s'agit donc que d'un abus fort regrettable qui profite sans doute d'après certaine législation, à une certaine catégorie de personnes. Encore y a-t-il lieu de remarquer, dans le cas présent, que Madame Ansbacher n'est pas française, que son mari ne l'était pas davantage, ce qui rend la protection dont elle profite particulièrement injustifiée.

Dans l'attente de mon quitus, en l'absence duquel je vous serais reconnaissant de bien vouloir me retourner le chèque ci-joint, je vous prie d'agréer, Monsieur le Contrôleur, l'assurance de mes sentiments très distingués.

(Un visage hiératique, inexpressif, me regarde, ou est-ce moi qui le regarde et qui cherche en lui mes questions ?)

Le président lève les yeux, regarde l'accusé. *Je vois que vous avez déjà fait l'objet d'une procédure administrative. Vous avez été condamné à une amende. Il y avait donc eu des fautes de gestion.* L'homme se lève, il esquisse un sourire, *Je ne reconnais rien. Certaine législation profitant à certaine catégorie de personnes. On connaît ça, ce que ça vaut.* – *Mais vous avez payé l'amende,* dit le président. – *Je ne reconnais rien,* dit l'homme. – *Mais vous avez payé, vous auriez pu contester et aller au procès.* L'homme sourit, *M'y voilà de toute façon.* Il se tait un moment, puis reprend, *Dans certains états de la société, certains comportements, comme le devoir, l'honneur, le sens des responsabilités et des priorités nationales, sont perçus comme des fautes. Vous-même, Monsieur le Président* (il sourit), *comprenez-vous ce que je dis, quand je parle d'honneur ?* Le président fait un geste d'agacement, et dit avec empressement, d'une voix grave, *De toute façon, l'amende que vous avez payée est sans commune mesure avec les crimes pour lesquels vous êtes poursuivi.*

À l'origine

C'est une scène ancienne : ma mère m'ouvre en disant, *Mon chéri,* avec empressement. Dans la cuisine, où nous venons d'entrer, il y a, sous la lumière crue du plafonnier, un journal étalé sur la table et, à côté, un bol de soupe. Pourquoi ce peu de choses m'étreint comme un spectacle pathétique ? Ma mère me propose un verre et m'invite à m'asseoir, mais je préfère rester debout, appuyé au chambranle de la porte ou au placard. Les questions me concernant, je les contourne. Je ne sais pas comment dire ce que je voudrais dire. J'ai à peine parlé de mon frère qu'elle dit, *Nous ne savons plus comment faire.*

Elle regarde son bol ou le journal, ou le mur. *Mais qu'est-ce que nous n'avons pas fait pour lui – qui a pourtant marché pour toi ? Nous avons fait le maximum.* Elle se lève, va à l'évier, lave son bol. C'est comme un corps qui n'occuperait pas la même pièce que moi – et qui pourtant m'aspire. Je voudrais la prendre dans mes bras, mais c'est impossible. Ma mère dit, *C'est comme une force obscure en lui. Comme si c'était plus fort que lui.* Quand elle ne dit plus rien, son visage se tend. Dans les anfractuosités du mur aveugle, de l'autre côté de la cour, se nichent des pigeons qui battent densément des ailes au ras de la paroi, avant que le mur les engloutisse. Je voudrais pousser devant moi des mots qui diraient plus que je n'ai jamais dit, des mots qui seraient capables de nous soulever tous, je ne les trouve pas.

À ce moment-là, la porte d'entrée claque : mon père est rentré. De la cuisine, ma mère lui annonce que je suis là, et il répond, *Ah tiens*, d'une voix enjouée. Il entre dans la pièce, me sourit, il est content de me voir. Nous nous asseyons dans le salon. Je fixe les voilages pâles aux fenêtres, la cheminée en marbre, à la recherche d'un mot juste. Il faudrait que je parle de mon frère, mais ma bouche s'assèche. Je finis par lâcher, *Il faut faire quelque chose*. Ma mère répond aussitôt, *Si tu penses pouvoir faire quelque chose*. Ils veulent bien tenter tout ce qui serait possible. Je voudrais crier, mais je ne sais pas comment et pas précisément ce que je voudrais dire : toute parole s'étrangle en moi. Mon père soupire, *S'il acceptait de se soigner*, il lève les sourcils dans l'impuissance.

Pendant ce temps-là, mon frère doit être tout seul dans l'appartement où il habite désormais : il va à la cuisine, ou à la salle de bains, où il se lave les mains, avant de revenir dans la pièce principale. Il allume une cigarette, il regarde la fenêtre. Le jour décline, le gris absorbe les meubles, les silhouettes des choses dans la chambre, sa guitare, la chaîne, les bouteilles sur la table poussiéreuse, le cendrier, le matelas par terre. Et penser à mon frère me déchire : je suis assis dans un fauteuil et mon frère meurt tout seul, là-bas, tout près.

Sur la longue table de la salle à manger à laquelle je me suis installé avec ma grand-mère, elle ouvre pour moi les albums de famille : ma mère et mes oncles sont là, avec leurs visages adolescents. Jean assis dans une chambre, souriant au milieu de ses livres, masque africain au mur, *Quand il était aux colonies, enfin ce qu'on appelait les colonies*. Ma mère jouant au tennis, fine, élancée, sa jupe blanche volant dans le mouvement. Ma grand-mère dit, *Mais c'est tellement loin*, et d'ajouter, *Et je t'ennuie sans doute*. Elle feuillette un autre album, elle dit, *ah*, en voyant la photo d'une jeune femme brune et belle, *C'est moi*, dit-elle, à l'époque de son mariage.

Comment était son beau-père, Raoul ?

Elle ne me demande pas pourquoi cette question brusque. *Un homme très bien*, dit-elle en écartant les mains avec un geste de conviction. Ah oui ? *Un homme très intelligent*, avant d'y ajouter après un temps de silence avec une voix montante, *Oh mais pas très commode*, qui se termine par un court rire. Elle se souvient d'Henriette, sa belle-mère, qui était très gentille, *mais enfin, pas très forte*, et parfois au milieu du repas, son mari lui disait simplement, *Henriette tais-toi*.

Mais j'insiste. Oui bien sûr, ils allaient régulièrement dîner chez ses beaux-parents, en 1942. *Tout se passait très bien*, dit-elle simplement, avant d'ajouter : il faut imaginer l'époque, le manque de main-d'œuvre, les privations, *ce n'était pas une époque facile*, et elle enchaîne sur les épisodes de sa guerre à elle – l'exode de 1940 – que je connais déjà, elle s'essuie les yeux de ses doigts anguleux, lisse les rides de son visage, *Ah ça, c'était toute une époque, c'est sûr*, et sa fatigue semble couler des mots qu'elle dit, *Mais sers-toi bien*. Elle fait glisser le plat de macarons vers moi. Puis elle lâche, comme pour se défendre, que tout n'était pas rose à l'époque, qu'il y avait *un climat*, mais elle ne précise pas ce qu'elle entend par là. Sa mère à elle disait souvent qu'*elle préférait aller au Printemps qu'aux Galeries Lafayette, parce qu'aux Galeries Lafayette, c'était trop juif.* Je la regarde, effaré.

Elle-même avait été en classe avec la sœur d'Hélène Berr : tout ça lui est revenu au moment de la publication du journal en 2008. *Des gens très bien, les Berr*, elle hoche la tête et ajoute qu'en classe elle les défendait vis-à-vis des autres, ceux qui s'en prenaient à eux *à cause de leurs origines*. Lorsqu'il y avait eu un goûter d'anniversaire chez les Berr, ses parents avaient longuement hésité, mais finalement ils l'avaient laissée y aller. Puis, sans prévenir, elle enchaîne sur le fait que le quartier n'est pas sûr, l'immeuble inoccupé, qu'elle a peur, et le réel s'émiette en une multitude d'images, ses soucis, une angoisse diffuse.

Mais tu ne manges rien, reprends des macarons, ma grand-mère approche le plat de moi, en toussant en sourdine, elle-même en prend un, dans lequel elle croque, le regarde de très près, puis prononce tout haut son verdict : *Praline*. Je touille mon thé. Elle se passe longuement les doigts sur les paupières, *Tout ça c'est loin,* remuant ses rides épaisses.

L'avenue où habitaient mes arrière-grands-parents est large et aérée, plantée d'arbres hauts, aux feuillages denses. Une façade haussmannienne, comme toutes les autres, plantes sur les balcons, fenêtres fermées. À l'intérieur, l'allée voûtée débouche sur une cour. À gauche, quelques marches de pierre donnent accès à une porte vitrée, style Art nouveau : elle s'ouvre. Le grand escalier sombre n'est éclairé que par d'étroits verres de couleur. À mesure que je monte, il me semble que l'espace, sous moi, s'agrandit. Aux murs, tapisseries sombres – motifs floraux qui s'entrelacent, mais ternes, passés, comme s'ils s'étaient incrustés là depuis toujours, depuis des dizaines d'années.

La sonnerie fait un tintement grêle, lointain, qui date peut-être de l'époque de Raoul H. Derrière la porte, les bruits de pas mettent du temps à venir, un silence s'écoule avant que la porte s'entrouvre lentement sur un visage de femme d'un certain âge, B.C.B.G., méfiante, la porte maintenue par une chaîne, elle sourit d'un sourire figé et interrogatif, *Oui ?* Par l'entrebâillement, j'entrevois le portemanteau dans le couloir sombre, meublé de hautes bibliothèques, et au bout, de la lumière venant d'une pièce spacieuse.

Oui ? Elle me regarde fixement, l'air interrogatif. Je parviens finalement à dire que des gens de ma famille ont habité ici, je me suis permis, parce que j'aurais voulu, enfin je m'intéresse à cette époque, est-ce qu'il serait possible de voir les lieux ? *Ah*, dit-elle, avec un grand sourire un peu crispé, puis son visage se ferme, et elle dit seulement, *Non*, qu'elle ne peut rien pour moi.

Dans ce cas, serait-il seulement possible de savoir quand l'appartement a été mis en vente, et qui était propriétaire alors, est-ce qu'elle pourrait me renseigner ? Mais elle répond sèchement, toujours avec ce grand sourire, qu'elle ne sait rien, elle a bien peur de ne pas pouvoir m'aider. Je me recule vers l'escalier. Derrière moi, la porte tarde à se refermer : la femme est là, derrière, me regardant par l'entrebâillement, comme pour s'assurer que je m'en vais. Je descends dans l'ombre, puis la porte se referme lentement, derrière moi : dans le tapis, épais, tout bruit s'étouffe.

En juin 1943, un courrier notifie à Raoul H. qu'il est relevé de ses fonctions d'administrateur provisoire. On ne lui indique pas le motif de sa radiation, seulement que la décision a été prise à la demande de M. Weber, chef de la 8e section dont dépend le commerce de l'horlogerie. Il proteste : *Cette mesure ne peut apparaître que comme une véritable sanction, sans que j'aie pu avoir connaissance du motif.*

Raoul H. croit deviner qu'on a voulu se venger de lui. Il croit deviner qu'on le tient coupable d'avoir, sur une affaire, favorisé un soumissionnaire au détriment d'un autre – *alors que celui finalement retenu a été désigné par les autorités d'occupation en raison de ses références commerciales d'avant-guerre avec des firmes allemandes, et de ses bonnes relations actuelles avec les services allemands.* Dans ces conditions, et certain d'avoir toujours rempli avec zèle et conscience ses devoirs d'administrateur provisoire dans toutes les affaires qui lui avaient été confiées, aussi bien immobilières que commerciales, de les avoir toutes gérées *en bon père de famille*, il serait reconnaissant à son correspondant de bien vouloir user de son influence pour faire rapporter par le Commissariat général aux questions juives la mesure prise à son égard.

La protestation ne doit pas porter ses fruits car, dans les mois qui suivent, Raoul H., à qui l'on a dû réclamer ses comptes, prétend ne pas avoir reçu les courriers que lui adresse l'administrateur provisoire qui le remplace. Le 8 septembre, il organise la vente d'un immeuble dont il n'a plus la charge. La vente est annulée, mais il prélève quand même, sur le compte de l'administré, des honoraires.

En avril 1944, son successeur se plaint de toutes ces irrégularités, ainsi que d'autres, auprès du Commissariat général aux questions juives : il a vainement demandé à Monsieur H. de faire le dépouillement de sa feuille de caisse afin de rassembler au compte de chaque affaire les opérations effectuées. Le nouvel administrateur provisoire ne peut comprendre l'obstination de Monsieur H. à ne pas fournir ce travail tout à fait élémentaire, d'autant qu'il est à remarquer que Monsieur H. s'est attribué des honoraires significatifs qui impliqueraient un minimum de travail. Or, d'autre part, Monsieur H. s'attribue des honoraires pour l'encaissement de quittances de loyer du 15 octobre 1943, alors que cela a été fait par lui-même, et sous son administration exclusive. *J'espère que cet exposé vous édifiera sur une partie de la gestion de cet administrateur et sur les difficultés que j'ai éprouvées en prenant sa suite.*

Le 16 juin 1944, nouveau courrier au Commissariat général aux questions juives dans lequel le nouvel administrateur provisoire calcule que Raoul H. a prélevé sur cette affaire plus de quinze mille francs, soit plus de deux fois plus que ce à quoi les règlements vichystes l'autorisent.

Puis Raoul H. s'exile. Dans le château de Beauvoir, dans son appartement parisien, il se permet à table de commenter ce qu'il appelle *l'évolution de la société,* il retourne à ses inventions, ses postes de radio à galène, ses dendromètres. Après la guerre, une obscure conjuration l'empêche de faire partie d'aucun conseil d'administration. Il participe à la direction du théâtre familial qui, sur un grand boulevard, a lancé quelques pièces de Hugo, celles d'Edmond Rostand – et de Paul Déroulède. Il reste l'oliveraie de Tunisie qui appartient à la famille, jusqu'à ce que la France brade aussi ça.

1961 : c'est une chaude après-midi de juin. Raoul H. somnole sur la terrasse de Beauvoir, dans sa chaise longue. Les champs s'étendent à droite, le bois devant. Le petit général est en train de vendre l'Algérie, l'oliveraie de Sidi Chemack appartient désormais à l'État tunisien, les altamètres encombrent l'armoire du bureau de Beauvoir. L'image de ma mère passe comme une ombre à quelques mètres de lui, il reconnaît sa silhouette gracile, sa démarche hésitante – qui n'ose pas s'avancer vers lui, puis disparaît. À présent, un souffle court sur la terrasse, il fait froid tout à coup, et la terrasse s'ouvre sur le vide : il n'y a plus les champs, il n'y a plus le bois, le vent souffle de plus en plus fort, Raoul H. est tout seul, il essaie de se relever, il doit articuler un mot, *Margoton.*

Mais ce n'est pas Margoton qui est devant lui. Beaucoup d'autres silhouettes sont là, groupées en foule, non loin de lui, qui le fixent. Elles sont là, immobiles devant lui, dans le noir, elles le regardent depuis le vide. Il fait sombre où se trouvent les silhouettes, mais on peut reconnaître des enfants, des vieillards, des femmes, des hommes en pleine force de l'âge, des visages fatigués. Ces visages le regardent depuis un lieu énigmatique, ils regardent Raoul H. mourir, comme s'ils l'interrogeaient, mais Raoul H. ne les voit pas. Raoul H. ne voit rien : il ne voit que le noir, le bout de la terrasse, le petit bois derrière.

Il ne sait pas ce qui différencie ce lieu d'autres lieux, qu'il ne voit pas : la terrasse de Beauvoir est devenue une plage de sable sombre, plongée dans une brume trouble, elle est devenue un terrain vague, sans limite. Alors il voit soudain une silhouette dressée devant lui, massive comme une tête de l'île de Pâques, immobile, sans aucune expression, le surplombant de sa puissance muette, puis il ne voit plus rien, c'est seulement un tintement sourd. Une boule roule très lentement, très loin, dans un tintement très sourd.

Quand Margoton était sortie sur la terrasse, elle avait d'abord cru que Raoul H. dormait, dans sa chaise longue – mais il était mort.

Mon frère hurle et tape à la porte blindée des parents. Mon frère fait trembler la porte blindée, à force de taper. À force qu'il tape, l'œilleton finit par sauter de la porte : des mois durant, il ne restera qu'un trou. Mais personne ne lui ouvre, personne n'ose plus ouvrir. Ils font comme s'ils n'étaient pas là, mais mon frère sait très bien qu'ils sont là. Parfois ils ne font même plus semblant de ne pas être là. Ma mère est derrière la porte, il l'entend à travers la porte, *Maintenant tu t'en vas, maintenant tu arrêtes*. Ou ma mère dit, *Il faut faire quelque chose, appeler la police*, elle s'adresse à mon père, *ça ne peut plus durer comme ça*. La scène, je ne la vois pas, on me la raconte, quand je demande pourquoi la porte n'a plus d'œilleton.

Je marche sur une plage baignée d'une brume humide, dense. La brume recouvre le rivage, les maisons du rivage, la route, la mer, les rochers qui affleurent dans la mer. Le sable humide est dur, mes pieds ne s'y enfoncent pas. Mes pas glissent, un léger froissement, comme sur un tapis. Au loin, des silhouettes avancent sur le rivage, elles aussi sont baignées par la brume. Je marche très lentement vers elles, mais à mesure que j'avance, elles s'éloignent, très lentement, dérivent, parfois s'approchent, et j'ai presque l'illusion de pouvoir leur parler bientôt, qu'elles m'entendront. Je les appelle – mais elles n'entendent pas, elles dérivent dans une autre direction, je les perds de vue. Parfois leurs ombres se reflètent dans les flaques sur le sable, comme des miroirs : des ombres flottent à la surface de l'eau, troubles, coupées de lumière, puis disparaissent.

Je cherche mon frère, et je ne le trouve pas. J'aurais des choses très importantes à lui dire – qu'il ne faut pas mourir, qu'il y a d'autres solutions – qu'il faut attendre. Mais il y a tellement de choses que je ne maîtrise pas, et mon frère est tellement pressé, et mon frère meurt quand même.

Au printemps, je suis retourné voir Pierre et Élisabeth dans leur maison de bord de mer. Après avoir quitté la voie rapide, la route longe les forêts de pins, on devine la mer mais on ne la voit pas, d'abord – puis des campings, des baraques de bois bourgeonnent de chaque côté de la route, on passe des ronds-points (à un carrefour, une cabane a brûlé) – et tout à coup, l'océan est là, au bord de la route.

Il était tard déjà, le jour d'été déclinait doucement, nous sommes allés nous baigner : dans la chaleur en suspension, de grands rouleaux venaient faire éclater leur souffle frais. Pierre m'a montré une pinasse non loin, sa forme typique, sa coque basse, son regard se perdait au loin. À l'autre extrémité de la baie, la petite ville qu'on peut rejoindre en bateau. Puis je suis parti nager, tandis qu'eux deux restaient debout non loin du bord. Sur leur terrasse, ce soir-là, nous avons mangé des fruits de mer.

Ma grand-mère avait beaucoup décliné, ne pouvait plus habiter seule, elle allait entrer en maison de retraite. Puis il a été question de Jean, j'ai dit que je l'avais vu, que nous avions parlé de Raoul, qu'il ne savait pas tout. Je l'ai dit assez vite (j'avais posé le crabe que j'avais dans la main), ils m'ont regardé. Aux Archives, il y avait des dossiers. Ils ne disaient plus rien, ils s'étaient arrêtés de manger. Alors j'ai expliqué ce que c'était qu'*administrateur provisoire*, j'ai dit le nombre de dossiers, j'ai parlé de sa façon de traiter les affaires. Je n'ai pas dit les noms d'Emmanuel Baumann ni de Ludwig Ansbacher, mais j'ai dit que certains n'étaient pas revenus. À ma gauche, Élisabeth a lâché un souffle, comme si elle avait reçu un coup à la poitrine, elle a posé ses mains à plat sur la table, puis elle a seulement dit, d'un trait, *Je n'aimerais pas faire partie de cette famille*. Pierre a dit qu'il savait que je trouverais, ils ne m'ont rien demandé de plus, je n'en ai pas dit plus. Nous mangions nos fruits de mer, je sentais que mon visage était chaud.

Ce soir-là, nous sommes allés voir les villas historiques qui bordent le rivage. De la plage où nous marchons dans le noir, la baie vitrée de l'une d'entre elles est éclairée de l'intérieur par une lumière vive, blanche : une famille est dans le grand salon, je vois des bras qui se lèvent, des visages qui s'animent, des gens se parlent, débattent. Derrière, une silhouette monte dans la lumière de l'escalier vers le noir.

Le lendemain, nous allons revoir, à quelques kilomètres de là, l'ancienne villa de mes grands-parents, vendue il y a vingt ans. Images lointaines, inhabitées – un morceau très étroit de terrasse derrière la maison adossée à une butte, et de l'autre côté de la route des terrains de tennis. Dans une image floue, je jette une balle en travers de la route, je vois juste le geste, et la balle qui part loin, rebondit de l'autre côté de la route. D'une semaine de vacances, passée ici avec ma mère, mon frère, les seules images qui restent sont la dune gigantesque à laquelle conduisaient des marches en bois sans fin, une file interminable de gens, et arrivés en haut, le sable, à perte de vue.

La villa est devant nous, plus petite que dans mon souvenir, ramassée. Souvent, explique Élisabeth, ma grand-mère se mettait à la fenêtre et regardait les passants, les voisins qui jouaient au tennis. Le rez-de-chaussée avait été aménagé pour que les couples soient autonomes, on faisait la cuisine dans le garage. Parfois, ma grand-mère se penchait à sa fenêtre, trouvait que ça sentait vraiment fort, cette cuisine du Sud, l'ail, les oignons, reprochait-elle à Élisabeth, avec qui de toute façon elle ne déjeunerait pas.

Mon frère traverse la route vers les tennis. Il parle aux gens, les gens l'invitent à jouer avec eux, il aime aller à la rencontre des inconnus. On le surveille, il n'est pas loin. Quand il a fini, il retraverse la route, il dit seulement, *J'ai joué au tennis avec des gens*, il a le visage rouge, les cheveux collés de sueur, il sourit.

Pierre, Élisabeth se taisent puis se montrent à voix basse ce qui a changé dans la façade, le bois des fenêtres, ou l'aménagement du jardin. Le vent circule dans les branches des pins, je dois repartir.

De longues rangées d'arbres défilent de chaque côté de la route, et l'immense dune s'éloigne, dans le rétroviseur. Je marche à travers le sable, il s'étend à perte de vue. Et je sais – mais comment ? – que cette dune est mon frère. Je n'arriverai jamais au bout de mon frère, il est là, à perte de vue. Quand je le prends dans ma main, il me file entre les doigts, et le vent le disperse, mes pieds s'enfoncent dans mon frère, je peine à avancer. Je n'ai pas prise, je voudrais voir le bout de mon frère, mais je ne vois rien.

Au début de l'été, mon père m'a appelé. Nous nous sommes donné rendez-vous dans le café habituel. La fin d'après-midi où je l'attends à la terrasse, le gris gagne la ville, des silhouettes circulent sans me voir, des couples s'assoient à la terrasse. À distance de moi s'est assis un homme jeune, à blouson de cuir et lunettes noires. Quand il hèle le garçon, il fait de très grands gestes, le bras dressé très brusquement, très droit, la main tendue, puis, comme le garçon tarde un peu à venir, il refait aussitôt le même geste très brusque. Le serveur finit par arriver, le visage de l'homme à blouson de cuir se tend comme s'il allait se déchirer, comme si les mots lui faisaient mal. Maintenant, rejetant la tête en arrière, il avale ses pistaches avec les mêmes gestes brusques, tendus. Plus tard, une femme brune, bronzée, veste de cuir, s'assoit en face de lui, et il hèle à nouveau le serveur du même geste, le bras tendu, et je pense à mon frère, quand en le voyant je me demandais, *Qu'est-ce qu'il a pris ?*

Mon père surgit, me cherche des yeux, puis m'aperçoit et avance d'un pas décidé. Il me donne des nouvelles de ma grand-mère dans sa maison de retraite, ce n'est pas tous les jours facile, il n'insiste pas et je ne pose pas de questions, je fais tourner mon verre.

Il est allé en Allemagne pour rencontrer un chercheur amateur spécialiste de l'oflag de son père, il parle vite, sourit, s'anime. Le chercheur amateur a montré ses archives, ils sont allés ensemble voir ce qu'est devenu le camp. Il est enthousiaste, je fais tourner mon verre. Je sens monter en moi une violence irrépressible.

Lui qui connaît si bien les camps de prisonniers, peut-être qu'il sait comment on pouvait être libéré en décembre 1941 ? Mais je parle trop fort, avec trop de colère déjà, son regard glisse en coin, fuyant, gêné, il voit de qui je veux parler, de son beau-père. Il dit, *Je commence à avoir quelques doutes*, d'un ton de confidence – comme s'il s'agissait de quelque chose dont nous aurions déjà parlé ensemble, comme si je devais déjà savoir de quoi il s'agissait. Des doutes sur quoi ? Son regard a glissé à nouveau, il dit très vite, *Eh bien, il semble que son père ait été au Commissariat général aux questions juives*. Depuis quand le sait-il ? (Je crie.) Pierre en a parlé avec ma mère il y a quelques semaines. Et maman ne le savait pas ? Il me regarde, l'air interrogateur, il ne voit pas ce que je peux lui reprocher, il dit, d'une voix absente comme pour une évidence, *Mais depuis toute petite, certainement*. Puis la conversation se brouille, je suis en face de lui, mais je suis hors de moi, les questions sortent avant que je les pose, Et lui, il savait ? Il repousse ma question avec un peu d'agacement, *Elle me l'avait dit, oui, j'avais oublié*. – *Mais vous êtes fous !* Il me regarde interloqué, *Qu'est-ce que tu dis ?* – *Vous êtes des fous irresponsables* (tout bas). Il est surpris de l'ampleur de ce qu'il a suscité, tout ça c'est du passé, puis il demande seulement, *Toi aussi, tu savais ?* L'homme au blouson de cuir interpelle à nouveau le serveur, avec de grands gestes tendus, il brandit son verre vide, le serveur sourcille, exaspéré. Je rappelle à mon père le mot de ma mère, selon lequel peut-être qu'elle aurait des origines juives. Il ne voit pas le problème, sourit, après tout pourquoi pas ? Peut-être qu'ils n'avaient pas vérifié, ça arrivait, peut-être qu'ils avaient des origines juives dans la famille, qui sait ? Alors je m'aperçois que je suis debout, je quitte la terrasse. Derrière moi, j'entends seulement la voix de mon père dire, *Bon très bien,* cette voix immuable de celui qui essaie de garder une contenance. Et les grandes arches du métro aérien, au pied desquelles je marche longtemps, le bruit des rames fait tout trembler dessous, les grandes arches indéfinies, qui tremblent, essayant de me calmer, qui tremblent dans le bruit.

Je vais voir ma grand-mère. Quand j'arrive dans la maison de retraite, Jean est là, il lève les yeux vers moi, surpris de me voir. Elle s'est amenuisée, toute fine, maigre, sous la robe verte qu'elle porte, en tissu éponge, et qu'elle soulève parfois en essayant de trouver les mots qui ne lui viennent pas. Elle me regarde un moment, essaie de parler de la *boîte de chocolats* que je viens d'apporter, elle désigne d'une main vague la direction de la table de nuit, où il y en a d'autres, dans le tiroir (explique Jean), puis sa main balaie l'absence. Son regard se retourne vers sa robe en tissu éponge, qu'elle soulève, *Alors tu vois ça c'était comme on faisait les robes dans le temps, c'était,* elle en retourne le bord sous l'ourlet, dévoilant sa cuisse, maigre, *C'était facile à faire.*

Puis brusquement, elle se tourne vers Jean, renfrognée, dit sourdement, *Jean il faut que je te parle,* attendant un moment pour ajouter, *Les grosses noires, et qu'elles vous poussent vous cognent,* levant un doigt, *Elles le font exprès !* Puis elle s'arrête et, tout à coup, elle crie, *Jean tu m'écoutes ?* Elle prétend qu'on la change tout le temps d'étage, elle a fait le premier, à présent le troisième, *C'est horrible, c'est vraiment infernal.* D'après elle, des hommes sont entrés dans sa chambre, il y en a un qui est monté sur son lit, c'était *absolument horrible,* elle garde la tête baissée, voûtée sur son siège.

Au bout d'un moment, elle lève les yeux sur moi, les plisse, puis cherche mon regard, *Alors, tu es qui, toi ?* Je lui explique, le fils de sa fille, mais elle essaie de retrouver qui est sa fille, et qui est le fils de sa fille, puis elle lève une main, *Ah oui,* et avec naturel elle ajoute, *Celui qui n'est pas mort.* Jean s'est arrêté net d'essayer de sourire. Je la regarde, Oui c'est ça, oui, celui qui n'est pas mort.

Le greffier se lève. Le garde fait entrer Raoul H. dans le box, mais il ne le fait pas asseoir. Raoul H. reste debout dans son box. À un geste du greffier, tout le monde se lève. Il annonce, *La Cour.* Et la porte du fond s'ouvre, par laquelle entre le juge, qui s'avance à l'estrade, reste debout, déplie un papier, se tourne vers Raoul H. et lit :

Raoul H., vous avez été reconnu coupable des faits suivants :

Collaboration active à une politique étatique de persécution. Participation volontaire à l'asphyxie économique d'un peuple, préludant à sa déportation.

Indifférence au sort des personnes dont vous administriez les biens, mais aussi exploitation, menace, chantage sur ces personnes.

Vol et détournement des biens de vos administrés, sous couvert de la loi, non seulement en conformité avec une politique d'État, illégale, mais, à de multiples reprises, en passant outre les règlements de cet État, à des fins d'enrichissement personnel.

Il est prouvé que votre action a participé, de façon indirecte mais non fortuite, au processus menant à la déportation, dans au moins deux cas sur quinze.

Il est prouvé que, tant pendant la guerre qu'après, vous vous êtes montré entièrement indifférent aux conséquences ultimes que pouvait entraîner cette déportation (que vous pouviez ignorer en 1942, non en 1947) – la mort, dans les deux cas évoqués.

Ces faits sont attestés par des pièces d'archives et par de multiples témoignages concordants.

Vous avez également été reconnu coupable de mensonge, de mauvaise foi, d'antisémitisme virulent. Le tribunal n'a relevé aucun regret d'aucune sorte de votre part. Le tribunal n'a relevé de votre part aucune tentative de réparation.

Ces faits n'ont jamais fait l'objet d'une condamnation pénale, tout au plus de sanctions administratives, à savoir une ou deux amendes, qui sont loin de correspondre au montant de vos multiples vols.

Le tribunal ne retient pas les circonstances atténuantes que pourraient représenter l'éducation ultra-catholique que vous avez reçue, la lecture de Barrès, le contexte de l'Affaire Dreyfus qui selon toute vraisemblance a marqué votre enfance.

Le tribunal repousse le prétexte d'un engagement destiné à libérer votre fils emprisonné dans un oflag en 1940. Même s'il fut libéré selon toute vraisemblance suite à votre intervention en décembre 1941, votre participation à « l'aryanisation économique » dans le poste d'administrateur provisoire s'étend bien au-delà et ne s'arrête, dans le courant de l'année 1943, que malgré vous.

En conséquence de quoi et puisque vous êtes déjà mort et qu'aucune réparation n'est plus possible de votre part, le tribunal vous condamne à la peine posthume maximale.

L'indignité.

La séance est levée.

Plusieurs mois plus tard, mon père est allé aux Archives. Il a trouvé toutes les pièces, les documents, les bandes que j'avais consultées. Quand je le revois, il me dit, *J'ai tout lu*. Je suis méfiant. Mais il ne minimise rien. Et maman, elle sait ? Il a mis tous les documents sur son bureau. Et elle a dit quoi ? Rien, elle n'a rien dit.

Dans un rêve, je cherche les traces d'un médecin du nom de Raoul H. qui a tué ses patientes il y a très longtemps (peut-être qu'il n'a pas voulu les tuer, mais les a tuées quand même par incurie, ou par incompétence) – et il est mort, depuis. Mais je n'ai pas accès aux sources, elles sont dans un endroit aux marges de la ville, un pavillon au bout d'un jardin ou d'un square. J'y entre par effraction : dans le bureau du médecin, tout a été laissé tel quel, ses papiers, ses dossiers, ses pots de crayons. Tout est très sombre, poussiéreux, je fouille. Tout à coup, au-delà de la porte vitrée du bureau, s'entrouvre une fente de lumière : un homme s'avance dans le couloir. Je me rabats d'un coup, dans un recoin du mur – mais il m'a vu, il entre, violemment, Je n'ai rien à faire là, qu'est-ce que je cherche ? Puis tout à coup, son visage s'apaise, il devient conciliant, il me demande de lui montrer ce que j'ai trouvé. Lui-même déplie les documents qu'il possède – ce sont toutes les archives sur Raoul H.

Scène tirée d'un documentaire : une jeune femme est assise par terre, au pied du fauteuil de son grand-père, très vieux, ancien membre du parti nazi. Le père de la jeune femme s'est converti au judaïsme : la jeune femme est juive. La jeune femme a les bras appuyés sur les genoux de son grand-père. Elle dit, en allemand, *Est-ce que tu savais ce qui se passait ?* Le grand-père a le regard fixé ailleurs, il lève une main, il répond, *Non on ne savait pas vraiment, mais on en parlait*. La jeune femme dit, *Pourquoi est-ce arrivé ? Moi, qui suis juive, si cela arrivait aujourd'hui, ils me tueraient*. Le grand-père lève les yeux, et répond, *Tant qu'il y aura des hommes, ils se tueront sous n'importe quel prétexte*. La jeune femme dit, *Qui est coupable ?* Le grand-père dit, *Moi, je ne me sens pas coupable. Savoir qui est coupable n'est pas de mon ressort*. La jeune femme insiste, *Toi d'accord, mais alors, qui est coupable ?* Le grand-père dit, *Ceux qui se sentent coupables sont les coupables*. La jeune femme dit, *Moi, je me sens coupable*. Le grand-père dit, *Tu te sens coupable ? Tu n'as pas à te sentir coupable, tu n'as pas fini si tu te sens coupable pour tout. Tu dois prendre de la distance avec tout ça, et tu verras, c'est beaucoup plus simple, après*. La jeune femme ne répond pas.

Épilogue

Quand j'ai ouvert la porte, a afflué l'odeur de renfermé, celle des retours de vacances. (On hissait les bagages entassés dans le bas de l'immeuble jusqu'à l'appartement – et quand la porte s'ouvrait, on entrait dans l'odeur.) Odeur de l'absence, de l'air qui avait macéré un mois. Je n'étais plus venu chez eux depuis l'année de la mort de mon frère, mais j'avais toujours la clé et je savais qu'ils étaient en vacances.

J'ai parcouru l'appartement, je cherchais quelque chose mais je ne savais pas quoi – des traces. Je me suis assis dans le salon. Enfant, quand les parents n'étaient pas là, je m'asseyais souvent devant les tranches épaisses des très anciens ouvrages alignés dans les rayonnages près de la fenêtre, je les sortais, les feuilletais – c'étaient les œuvres complètes de Rousseau ou bien *La Légende des siècles* : sur la page de garde une main avait recopié, d'une écriture calligraphiée, une citation de Barrès. Derrière les voilages, un camion descendait la rue, lâchant un grondement qui allait s'exténuant, je reposais le livre, j'entrouvrais le voilage, je regardais dehors. Des bruits parfois venaient des étages – mais sourds, étouffés.

Au milieu de la pièce, contre le mur, le secrétaire est là depuis toujours, entre le canapé et la bibliothèque – depuis toujours fermé. Masse imposante, à laquelle on ne touchait jamais, seule ma mère en avait les clés. Une seule fois, elle en avait ouvert précautionneusement le battant pour nous montrer ce qu'elle y gardait. (Le vague souvenir d'une boîte à musique, d'une sculpture en albâtre, le regard avide de mon frère, déçu de ne rien pouvoir prendre, *On touche avec les yeux*.)

Je cherche les clés du secrétaire, je les trouve dans le tiroir du dessus, à peine cachées parmi les feutres, les stylos entassés. À l'intérieur, il n'y a presque rien : trois porcelaines, un petit vase ouvragé, la boîte à musique, et dans les courts tiroirs, dessous, des diplômes, des médailles, nos dents de lait, d'autres tiroirs sont vides. De la poussière sur les petites étagères. Je referme.

Au bout de l'appartement, un couloir sombre, étroit, mène au bureau de ma mère. Par la porte entrouverte, on devine l'intérieur. (Mon frère enfant est sur le seuil, sa silhouette dans la lumière jaune du couloir, mais mon frère n'entre pas, il reste sur le seuil, immobile, hésitant. Il veut entrer, mais il n'ose pas.)

Tas de vêtements, de papiers, sacs plastiques pleins, piles de revues recouvrant le bureau, ou posées à même le sol. D'autres vêtements accrochés à des cintres pendus aux boutons de la commode, qui contenait l'hiver notre linge d'été, l'été notre linge d'hiver, tiroirs trop pleins ne fermant pas. Quand on s'avance, il y a l'énorme bibliothèque à gauche, où sont rangés les dossiers, les albums, des bibelots sur les étagères. Aucun vide, nulle part.

Enfant, on n'entrait pas : quand ma mère y cherchait un vêtement pour nous, on restait dans le couloir à attendre qu'elle nous tende, de l'intérieur de son bureau, celui qu'on essaierait. Quand mes parents n'étaient pas là, parfois j'allais dans le couloir me pencher sur le seuil du bureau de ma mère, le voilage des rideaux filtrait une lumière grise. Au fond était une armoire encastrée, dont les portes anciennes fermaient mal : sur les étagères, parmi des tas, j'apercevais un christ ou la reproduction d'un bronze antique.

Je m'avance entre les sacs, les piles de papiers. J'ouvre quelques gros albums photos, pris dans la bibliothèque au hasard : je cherche mon frère. Il est là, courant nu, hilare, autour de la table de la salle à manger de notre maison de vacances. On le regarde en souriant. C'était un monde où les vivants étaient sévèrement gardés par des ombres gigantesques : quelques adultes à la mine grave nous surplombaient. Mon frère chahutait, était réprimandé, se taisait, chahutait, était réprimandé, se taisait, chahutait, je me taisais. Ou bien, des cris.

(Dans un rêve, j'assiste à une réunion de famille. J'ai à peine vu mon frère, mais je sais qu'il est là, quelque part. En fin de soirée, j'apprends qu'il vient de se suicider. Tout le monde est étonné – mais pas effondré, qu'est-ce qu'on pouvait faire, on ne pouvait rien faire. Je sais qu'il est déjà mort auparavant : je suis moins atteint que la première fois. Plus tard, mon père va chercher dans la terre les restes de mon frère, pour les enterrer *vraiment*.)

Sur un rayon poussiéreux, une vieille chemise porte sur la tranche le mot *Beauvoir*. Grise, à la texture grumeleuse, fermée par un ruban de tissu agrafé, elle déborde de vieux papiers. J'ai détaché soigneusement le ruban de tissu, j'ai déplié les grands papiers jaunis – ce sont de vieilles cartes topographiques tracées à l'encre, signées de la main de Raoul H. (Il est dans son bureau, penché, dans une grande concentration, il recompose la topographie de Beauvoir, il progresse très minutieusement. Sur le bureau, autour de lui, règles, compas, crayons soigneusement taillés, une bouteille d'encre de Chine. Le domaine de Beauvoir apparaît lentement. Le château et le bois, les dépendances, une partie des champs.)

(Mon frère est là, en sueur, sa respiration, la pulsation de son cœur.)

J'ai reposé le dossier, ce n'était pas ce que je cherchais. Sur les étagères de l'armoire du fond, dont j'ai entrouvert les portes, sachets accumulés, collections de timbres dans de gros albums, entassements d'enveloppes anciennes (un faire-part de naissance d'il y a dix ans), des sacs plastiques bourrés de cartes postales. J'essaie d'accéder à l'étagère du bas : les tas à l'extérieur empêchent d'ouvrir les portes en grand, je me penche, pour y parvenir. Sous des piles de sacs vides, il y a une très vieille boîte en carton, légèrement déchirée aux arêtes, à laquelle est lacée une cordelette blanche. Je la sors avec peine, je la pose devant moi.

Glissé sous la cordelette blanche, il y a un minuscule porte-cartes : à l'intérieur est un crayon, et le portrait d'un enfant dessiné sur un morceau de papier découpé dans le *Petit journal*. Derrière le dessin est écrit simplement, *Raoul dessiné par sa mère*. Glissée dans l'autre poche de cuir, il y a une photo de Raoul H. enfant. Juste ça, la photo dans le porte-cartes en cuir, et le dessin.

(La mère de Raoul lui a dit de ne plus bouger, il s'est assis tout droit. Il est dans sa petite marinière bleu marine, bordée d'un liseré de blanc. Il ne dit rien, ne bouge plus, assis, il regarde sa mère, il sourit. Il a douze ans peut-être. Par moments son œil cligne, sa bouche se tord légèrement, ou son épaule se tend pour défroisser le muscle de son bras. Puis il soulève à peine ses fesses, et se rassoit, il voudrait se lever et partir, mais ne dit rien. *Ne bouge pas.* Il ne bouge pas, il essaie de ne pas bouger. Il regarde sa mère, qui ne le regarde pas, elle tient le dessin à distance, le considère. Maintenant, elle écrit lentement au dos, *Raoul dessiné par sa mère.* Tout à l'heure, elle lui donnera le petit porte-cartes en cuir où elle glissera le dessin, avec une photographie.)

Dans la boîte en carton, sous le large couvercle, est le pommier en bois peint que ma mère parfois nous montrait quand nous étions enfants. Elle le mettait sur la table de cuisine : mon frère regardait, fasciné. *On touche avec les yeux.* À la plaque peinte en vert pour le feuillage sont fixées de petites tiges de fer en pente. Ma mère posait la bille rouge en haut : la bille dégringolait de tige en tige, jusqu'à ce que le personnage articulé la recueille en bas et, s'abaissant sous son poids, la dépose dans le panier. À peine avait-elle touché le panier que mon frère aurait voulu la reprendre, la remettre en haut, la faire dégringoler une nouvelle fois. Mais la bille entre deux doigts, hochant la tête, ma mère lui disait qu'il fallait être soigneux, il fallait faire attention, *C'est ancien.*

Ma mère est enfant. Elle est assise à la grande table en chêne du salon de Beauvoir, sur laquelle Raoul H. installe le pommier. Elle est seule avec lui, immense, dans son costume sombre. Il est grave, concentré, très directif, *On ne touche pas,* ses gestes sont précis, extrêmement minutieux, comme si le pommier était un objet d'une immense valeur, *On touche avec les yeux.* Ma mère le regarde avec une attention extrême, de peur de faire quelque chose qui ne conviendrait pas. Il dit, *Regarde,* comme si c'était une opération d'une grande difficulté, il tient la bille entre deux doigts. Ma mère regarde sans rien dire la bille glisser, Raoul H. est une ombre au-dessus d'elle.

Ma mère donne la bille à mon frère. Mon frère, très concentré, ne voit que le pommier. Sa main s'est suspendue au-dessus de la première tige : il a retenu son souffle, il dépose la bille, la lâche. Alors, de tout en haut, lentement, elle glisse d'une tige à l'autre, en faisant à chaque saut un sourd bruit de métal, et dégringole jusqu'au personnage, qui la reçoit, s'abaisse, dans un mouvement comme pour saluer. Mon frère regarde sans rien dire. Puis il remet la bille, elle dégringole, il la remet encore, encore. *C'est bon, ça suffit maintenant.* Mon frère proteste, mais si on ne l'arrêtait pas, il recommencerait indéfiniment.

J'ai déposé la bille en haut, elle a glissé lentement, puis a sauté d'une tige à l'autre. Au pied du pommier, le personnage l'a reçue, et aussitôt s'est abaissé, pour la poser dans le panier. Il y a eu un long silence. J'ai rangé le pommier dans son carton, j'ai lacé tout autour du carton la cordelette blanche, j'ai glissé le porte-cartes sous la cordelette blanche, j'ai remis le carton au fond de l'armoire, je l'ai refermée. J'ai quitté le bureau de ma mère, j'ai refermé la porte de l'appartement. Je suis parti.

De nombreuses citations sont empruntées à *Xavier Vallat. Du nationalisme chrétien à l'antisémitisme d'État*, de Laurent Joly (p. 27, 74, 75, 84, 85, 93), au *Journal*, d'Hélène Berr (p. 101, 126, 128), aux *Lettres de Drancy*, éditées par Antoine Sabbagh (p. 110, 112, 113), à *Maurice Barrès*, de Zeev Sternhell (p. 86), à *Voyage à Pitchipoï*, de Jean-Claude Moscovici (p. 113), au documentaire *Descendants de nazis : l'héritage infernal*, de Michael Grynszpan et Marie-Pierre Raimbault (p. 172). Certains passages sont directement inspirés des rapports *La spoliation financière* et *Aryanisation économique et restitutions*, publiés par la Mission d'étude sur la spoliation des Juifs de France (p. 73-76). Le texte se réfère également au livre de témoignages recueillis par Monique Novodorsqui-Deniau, *Pithiviers-Auschwitz, 17 juillet 1942, 6 h 15*. Tous les documents d'archives cités sont authentiques, mais les noms de Ludwig Ansbacher et d'Emmanuel Baumann ont été modifiés.

Merci à tous ceux qui m'ont aidé à écrire ce livre, par leurs lectures et leurs encouragements.

Ouvrage réalisé par Cédric Cailhol Infographiste

Achevé d'imprimer en mai 2016
par Normandie Roto Impression à Lonrai.

Dépôt légal : août 2016
N° d'impression :1602220

ISBN : 978-2-8126-1104-9

Imprimé en France